KB096760

베스트셀러

베스트셀러

박시현

초원

김세연

김재관

김진용

"나와 다르게 저 사람은 조금 특이한 것 같아."

여기서 사람들은 모두 자신을 '나'라고만 생각할 것이다.

'나'와는 다른 생각을 하는 '저 사람.'

평범한 '나'와 다르게 조금은 특이한 것 같은 '저 사람.'

우리는 자신과 생각이 다른 사람을 만날 때면, 그 사람이 어떤 사람인지 충분히 파악하기도 전에 마냥 별난 사람으로 치부해 버리는 경향이 있다.

그러나, 우리는 알아야 한다.

우리는 서로가 서로에게 특이한 '저 사람'에 해당한다는 것을.

그렇다면 생각이란 무엇일까?

우리는 어떤 생각과 어떤 가치관을 가지고 살아가야 할까?

모든 것은 사소한 것으로부터 시작된다는 말이 있듯이, 우리들의 사소한 생각 또한 그들의 위대한 생각과도 같다. 우리는 모두 본인만의 철학자이자, 본인만의 소크라테스(고대 그리스의 철학자)로서 본인의 생각과 선택으로 세상을 살아간다. 그렇기에 생각에 정답이란 건 없다.

이 책은 각기 다른 삶을 살아온 다섯 사람이 모여, 본인만의 인생을 통해 얻은 깨달음과 갖춰진 가치관을 자유롭게 글로 표현함으로써 본인의 자아실현을 이루고 있다.

- 공동저자 中 초원

차 례

에라 모르겠다

박시현

박시현 모순적이면서도 아름다운 이 세상 속에서 모순적인 존재인 저, 박시현
은 더 나은 삶을 살기 위해 끊임없이 노력합니다. 이것저것 하다 이번
엔 글을 쓰게 되었습니다.
삶의 순간마다 떠오르는 생각들을 적었습니다.
흔들리지 않는 석상 같은 사람이 되고 싶습니다.

유튜브: www.youtube.com/@BbackSi

잠에 들지 않는다고 내일이 오지 않는 건 아니다.

누구나 오늘 내가 무얼 했을까, 뒤쳐지고 있지는 않을까, 잘하고 있는 걸까, 이대로 살아가도 되는 걸까? 라는 생각에 쉽사리 잠들지 못할 때가 있다. 그리고 지금의 힘듦이 영원히 지속 될 것이라는 착각에 빠져 가만히 누운 채 불안에 절여지고 만다. 그렇게 잠기운은 더 멀리 도망가고 불안절임 인간이 될 때쯤 잠에 든다.

감히 내가 그 이유를 말해보겠다. 할 일은 안 하고 머리만 고생시켰기 때문에 머리가 화가 난 것이다. 미뤄왔던 일들을 생각만 하고 실천하지 않았기에, 내일도 하루 종일 생각만 해야 할 것 같은 예감이 들어 머리가 단단히 화가 난 것이 분명하다는 게 내 생각이다.

해결 방법은 간단하다. 몸을 굴리면 된다. 죽을 듯이 달리고 와서 누우면 분명 머리는 화가 풀려 있을 것이고 금세 곯아떨어진다. 진짜다.

공부 안 하고 시험 칠 생각하니 걱정이 되지

학창시절, 공부를 제대로 하지 않고 시험을 칠 생각을 하면 걱정만 가득했다. 반면 진실하게 공부하고 시험을 볼 때면 문제만 살짝 훑어보아도 답이 훤히 보이고 전혀 걱정이 없었다. 진실하게 공부해 본 사람이라면 무슨 느낌인지 알거라 생각한다. 물론 결과는 만점이 아닐수도 있다. 그렇다고 너무 낮은 점수가 나올 확률도 희박하다.

인생도 이와 같다고 생각한다. 진실하게, 스스로에게 정말 진실하게 하루하루를 채워 나가면 잠들기 전에도 걱정이 없고 눈을 뜨고 나서도 걱정할 일이 없다. 물론 일이 잘 안 풀릴 수는 있겠지만 쫄딱 망할 확률도 희박하지 않겠는가. 그렇게 진실하게 살다 보니 어느 순간부터는 내가 초등학생이 된 기분이 들 때가 있다. 수학여행이나 체험학습 전날 걱정 없이 내일을 기대하며 설레는 마음으로 잠에 들던 어릴 적 그때 그 마음을 다시금 되찾은 것에 정말 감사한 일이 아닐 수가 없다.

스스로 삶을 포기하려 했던 내가, 모든 것을 이겨내고 진실하게 살아가기 시작한 내가 느끼는 점들은 이러하다. 그러니 더 이상 스스로를 속이는 짓은 그만두고 진실한 하루하루를 보내보는 것은 어떠할까. 갑자기 뜬구름 잡는 소리인가 싶겠지만 진실하게 살고 있는 사람이라면 무슨 느낌인지 알 것이라고 생각한다.

무제

그렇게 사랑하던 연인도 갈라서고

또 언제 그랬냐는 듯 잘 만나고

어제 의절한 친구와

오늘 술 한잔하기도 하며

사람 마음이 다 그런 거지

삶이 다 그런 거지

그런 변화가 있기에 아름다운 거지

절망스러운 하루만 반복되지 않기에

분명 행복한 날은 올 것이기에

그러니 부디 넓은 마음으로,

이랬다저랬다 하는 나의 마음으로 쓴 글들을

이해해 주길 바란다

운은 치사하지만 그렇게 나쁜 녀석도 아니다.

내가 가져도 될 것은 가지게 되어있고 가져선 안 될 것은 가지지 못하게 되어있다고 믿는다. 그리고 가져선 안 될 것을 가지고자 할 때 재앙이 시작된다. 또한 내가 알아야 할 것, 알아도 되는 것은 저절로 알게 되어있다. 하지만 지금 내가 알아선 안 되는 것, 알지 말아야 할 것을 알려고 하다 보면 재앙이 시작된다.

그런데 운이란 놈은 가끔 찾아와 날 시험한다. 행운인지 불운인지 모든 선택권을 나한테 맡긴 채 내가 어떻게 나오나 지켜본다. 이 치사한 운을 이길 방법은 단 하나, 욕심을 버리면 시험 통과다. 그리곤 치사하게 욕심을 버림으로 인해 얻지 못한 것들에 대한 아쉬움을 남겨주지만, 가끔은 욕심내지 않은 것에 안도하게 만들기도 한다.

난 오늘 지각을 했다.

나는 회사에 있다. 뭘 하는진 모르지만 분명 뭔가를 열심히 하고 있었다. 근데 내가 언제 출근했더라? 라는 질문을 하자 순식간에 세상은 파괴되며 꿈에서 깨어난다.

개운함과 밝은 햇살, 새소리, 기분 좋은 아침을 느낌과 동시에 놀라며 급하게 확인한 핸드폰 시간은 [7시 51분]. 자는 동안 멈춰있던 뇌가 급하게 돌아가기 시작한다.

분명 아까 알람이 울릴 때까지만 해도 7시 5분이었는데, 분명 그 다음 7시 30분 알람이 울릴 때까지만 더 자야겠다고 생각했었는데 어쩌다 이런 일이…. 항상 프로다운 내가 이런 실수를 하다니. 샤워를 해야 할까? 어제 운동이 끝난 후 씻고 사우나까지 마쳤으니 괜찮을 것이다.

세수만이라도 할까? 눈곱만 떼야겠다. 왼손 검지와 중지로 브이(v)자를 만들어 눈곱을 확인하는 동시에 양치는 출근해서 해야겠다 생각하며 거실로 나온다. 옷은 늘 입는 카라티와 조거팬츠, 그리고 얼마 전 사둔 30켤레의 흰 양말 덕에 고민할 필요도 없다. 아침마다 옷 고르는 수고를 덜어둔 과거의 나에게 약간의 칭찬을 건넨다. 택시? 버스? 택시를 타야겠지? 우선 회사에 연락을 해야 하나? 0.02초간 생각을 정리하고 옷을 입으며 택시 호출을 하지만 화면 속 지도는 점점 커져간다. 내 위치 에서 1분, 3분, 7분… '아, 이건 택시가 잡혀도 문제다.'라고 생각하는 순간, 13분 거리에 택시가 잡힌다. 이걸 어쩌나, 취소를 할지 말지 고민하는 찰나 기사님 측에서 호출 취소를 하신다. 그래요, 기사님 저도 같은 마음이에요. 회사에 연락은 따로 하지 않기로 했다. 아직 가능성이 남아 있으니. 거실에 놓인 테이블 위를 빠르게 확인하며 꼭 챙겨야 할 것이 무엇인지 확인한다. 수영복이 눈에 들어왔다. 이것만 있으면 나머지는 어떻게든 되겠거니 한다. 버스? 지하철? 이건 정거장에 도착하기 전 핸드폰으로 배차 정보를 확인하고 정하기로 한다. 에어컨과 공기청정기 전원은 집을 나서는 중 대충 소리로 확인한다. 사실 심리적 안정 때문이지 켜져 있더라도 별 수 없다. 집을 나서며 핸드폰을 확인한다.

[7시 54분]

폭력적인 "왜?"

무언가를 함에 있어 남들에게 설명하지 못할 나만의 이유가 있을 때가 있다. 혹은 정말 본능에 이끌려 자신도 이유를 모른 채 행동 할 때도 있다. 그럴 때 난 "그냥"이라고 답할 수밖에 없다. 그러면 "그냥"이 어디 있느냐고 분명 이유가 있지 않겠느냐 물어온다.

그래, 사실 이유는 분명히 있다. 하지만 그 이유를 꺼내기 위해선 내가 지나온 그간의 모든 역사와 매 순간의 선택, 그리고 그 선택의 결과들까지 생각해내야 한다. 즉 나의 인생, 나의 자아, 나의 삶들을 끄집어내 잘 모아서 답을 해주어야 한다. 그리고 그 과정에서 처음 내가 무언가 하려 했던 마음도 같이 변해버린다. 이러한 일련의 과정들은 정말 쉬운 일이 아니다. 그러니 제발 나에게 "왜"냐고 깊게 묻지 말아달라. 그냥 하는 거니까.

과정과 결과

누군가가 나에게 물었다.
"할 만해~?"
내가 답했다.
"저는 할 만하든 아니든 제가 해야 할 것을 합니다."
다시 누군가 말했다.

"그래 과정보단 결과가 중요한 거야."

과정과 결과. 자주 보고 듣는 말이지만 왜인지 진지하게 과정과 결과에 대해 생각하고 싶어졌다. 우선 결과라는 말이 이상하게 다가왔다. 과정은 익숙한데 도대체 이 결과란 무엇인지⋯ 대입이 결과일까? 취업이 결과였나? 결혼, 자식, 손자, 그러다 끝에는 죽음이 결과인가? 그렇다면 결과라는 것은 죽을 때 알 수 있는 걸까 생각이 들다가도, '죽음은 결말 아닌가?' 라는 생각이 든다. 결국 삶은 과정과 결말뿐이라는 결론을 내렸다. 결과라는 것은 사람들이 만들어낸 허상일 뿐이고 우린 과정을 겪다 결말을 맞이하는 것이라 정리하였다.

그렇다면 과정과 결과 중 존재하지 않는 허상인 결과보단 지금 내가 서있는 이곳, 피부로 느껴지는 과정들이 중요하다는 것이 당연해진다. 그러니 결과라는 허상을 쫓기 보단 지금 이곳, 이 순간, 그리고 과정 속의 나에게 집중하는 태도가 옳다는 나의 짧은 생각을 써내어 본다.

그럼에도 불구하고

자기계발서를 많이 읽다 보면 신기한 현상이 생기기 시작한다. 분명 새로운 책을 읽기 시작했는데 어디서 본 듯한 이야기, 비슷한 말을 한다는 것이다. 결국 '모든 자기계발서가 같은 말을 하는구나' 라고 느껴지기 시작했다. 심지어 성경과 불경에서도 같은 말을 하는 게 아닌가?

어느 날은 강남역에서 포교 활동을 하던 종교인이 내게 말을 걸어왔다. 종교에 대해 큰 관심은 없지만 나는 그런 사람들을 좋아한다. 생판 모르는 처음 보는 사람에게 말을 거는 용기를 가진 사람들 말이다. 시간적 여유가 될 때는 설문 조사든 영상 시청이든 그들이 원하는 것을 얼마든지 해주며 의견을 나눠주기도 한다. 그날은 유독 시간적 여유가 넘치는 날이었다. 근처 카페에 가서 신은 존재하는지 인간은 어떻게 살아가야 하는지에 대한 이야기로 1시간을 보냈다. 물론 나만 신나게 떠들었다. 참고로 난 무교이다.

신의 존재 유무에 대해 내가 한 말들의 핵심은 이랬다. 완벽한 존재가 신이라면 우린 스스로가 신이 되기 위해 노력하며 살아야 한다. 더욱 완벽해지도록 말이다. 그렇게 우린 스스로가 신이 된다.

우리의 삶은 '그럼에도 불구하고' 라는 어구가 기본이다. 그럼에도 불구하고 삶을 헤쳐 나가는 것. 콘크리트 사이에 힘든 환경 속, 그럼에도 불구하고 꽃은 피어난다. 생존하고자 필사적으로 몸부림치는 생명체는 아름다운 것이다. 우리 또한 그럼에도 불구하고 살고자 발버둥칠 때 아름다운 것이다.

태어난 환경이 어떻든, 오늘 무슨 일이 있었든, 미래에 어떤 일이 기다리고 있든 그럼에도 불구하고 살아가는 것. 언제 죽을지 모르지만 그럼에도 불구하고 살아가는 것. 내일도 분명 기쁘고 화나고 슬프고 사랑하고 미워하고 즐거울 일들뿐이다. 그렇게 기뻐하고 화내고 슬퍼하고 사랑하고 미워하고 즐기며 사는 것이다. 내 몸이 가루가 되도록 무너지고 부서지다가도, 눈물 몇 방울에 금세 뭉쳐 단단해지기를 반복하는 것. 앞으로 있을 고난과 역경, 슬픔, 기쁨 모든 감정이 기대되지 않는가? 뭐 난 지금은 슬프다. 그런데도 잘만 산다.

세상이 너무 시끄럽다.

누구는 사기꾼, 누구는 자수성가, 누구는 벤츠, 누구는 카푸어, 알파, 베타, 퐁퐁, 김치, 루저, MZ, 도태, 중독 등 이렇다 저렇다 다들 말이 다르니 내 중심이 흔들리기라도 하면 정말 끝장이겠구나 싶은 세상이다. 도대체 무엇이 중요한 건지 이 많은 잡음 중에 어떤 소리를 들어야 할지 모르겠다. '그래, 세상은 원래 시끄러웠지' 내가 내 안의 소리에 집중하지 못하니 밖의 잡음들이 내 머릿속을 어지럽히는 것이겠구나.

그래 귀를 좀 쉬게 놔둬야겠다. 습관적으로 틀어 두는 노래도 끄고, 귀마개를 착용하니 아 이제야 좀 조용하구나! 이제야 내 심장 소리가 들리는구나! 아 그래 내 심장이, 내 마음이 불안해서 귀를 닫게 한 거구나.

알았어, 힘들게 안 할게. 너무 열정적으로 태우지도 너무 간절하지도 않게. 그간 고생이 많았구나 그래, 최근 너무 불안하긴 했지. 조급하지 말고 조금 쉬어 가자. 천천히 두근대는 심장 소리 좀 듣다 가자. 숨 쉬는 콧바람 소리도 잠시 멈추고.

눈을 감고 목을 타고 올라오는 심장의 소리에, 그 쿵쾅거림에 집중하자. 분명 이놈도 자기 나름대로 할 말이 있을 것이다. 만질 수도 없고 볼 수도 없으면서 고생은 딴 놈들에 비해 배로 하는데 분명 하고 싶은 말이 많을 것이다…

미워하는 건 분명 힘든 일이다.

회사에 다닐 땐 사수가 미웠다
이런저런 이유로, 그래서 퇴사했다
백수로 집에 있을 땐 가족이 미웠다
이런저런 이유로, 그래서 나와 살았다
일도 안 하고 혼자 자취방에만 있을 땐 내가 미웠다
모든 이유로…

내가 미워졌을 때 도망갈 방법은 한가지 뿐이었다

내가 존재하지 않는 것

세상의 끝에 혼자 위태롭게 서 있다

그제야 도망가지 않고 맞서보기로 했다

내가 미워하는 것과 대화를 하기로 했다

내가 나에게 어디서부터 시작해야 할지 모를

지난 26년의 인생에 대해서

나는 멋있게 살고 싶다고

틈만 나면 담배 피우는 거 하나도 안 멋있다고

술에 취해서 의미 없는 이야기, 농담으로 시간 보내는 거

하나도 재미없고

게임 같은 거 아무리 해도 하나도 행복하지 않다고

비실비실한 몸 하나도 마음에 안 든다고

노래방에서 노래 하나 자신있게 부르지 못하는 거 쪽팔린다고

이름 하나 멋있게 못 쓰는 글씨체 부끄럽다고

운전면허도 없어서 차는 커녕

렌터카도 못 빌리는 거 안 부끄럽냐고

어떻게 지내냐는 질문에 선뜻 답하지 못하는 것이나

마음에 드는 이성에게 말도 못 거는 모습 하나도 맘에 안 든다고

맨날 말만 하고 행동하지 않는 거 이제 도저히 못 하겠다고

제발 부끄러운 짓 좀 그만하라며

스스로를 미워하지 않기 위해 필사적으로 다른 것을 미워해 왔다고

이제 더 이상 스스로에게 안 부끄럽게
나를 미워할 짓 안 하겠노라고 나와 화해하며 약속했다
결국 미운 건 세상이 아니라 '나'였다

부단히 스스로를 단련하고
'나'를 더 나은 위치에 두기 위해 노력해야
'나'를 미워하지 않을 수 있음을 이제는 안다
하루 일을 완벽하게 마무리하고
혼자 자취방에 있을 땐 내일이 기대된다
모든 이유로.

하지 않기

'내가 지금 잘 하고 있는 걸까?'라는 생각을 안 해본 인간은 없을 것이다 분명.

무의식적으로 [잘 '하고 있는지']에 대한 생각을 하게 되는 것을 보면 우린 기본적으로 행함에 초점이 맞추어져 있다. 많은 것을 하면서 또 해야 할 것만 찾다간 금세 지쳐 번아웃이 오고 말 것이다.

세상을 잠시 구경하더라도 모두 내 행동을 부추기는 무언가를 '더' 하게 만드는 것들 뿐이다. 무엇이라도 하라며 채찍질하는 세상 속에서, 우리는 한번 스스로에게 '잘 안 하고 있는 걸까?' 라는 질문을 던져 보는 것이 필요하다. 나에게 좋지 않은 것을 하지 않는 것. 나에게 좋은 것을 하는 일은 그 다음이다. 정말 아무것도 하지 않는 상태까지 가야만 무언가를 할 수 있는 상태가 된다는 것이 내 생각이다.

더 이야기하기에 앞서 내가 행하고 있던 내 삶에 하지 말아야 할 행동들을 나열해 보자면, 밤늦게까지 핸드폰 하기, 아침에 알람이 울려도 더 자기, 출퇴근길 이어폰 꽂고 노래 듣기 (소리로 위험을 감지 하지 못해 사고가 날 수 있기 때문), 틈만 나면 담배 피우기, 시간 나면 술 마시기, 게임, 유튜브, 웹서핑 등 하지 말아야 할 것들 투성이인 삶이었다. 이 많은 것들을 하면서 동시에 독서나 운동, 공부, 글쓰기 등 내가 해야 할 것들이 들어올 틈은 도무지 없었을 것이다. 이러니 나 또한 작심삼일이 비일비재했다.

물론 이 모든 게 가능한 사람도 분명히 있다. 아주 특별한 사람이나 천재 같은 사람. 하지만 난 그런 천재는 아니었다. 그래서 하루를 돌아보며 하지 말아야 할 일을 나열한 뒤 천천히 하나씩 '하지 않는 것'에 집중해 나가기 시작했다. 하루가 짧고 여유가 없다고 느껴진다면 너무 많은 것을 하고 있지는 않은지 돌아봤으면 한다. 그리고 해야 할 것과 하지 말아야 할 것은 본인 스스로한테 물어보면 알 것이다. 한번 진하게 물어보자.

슬프고 기쁘고 두렵고 벅차다.

사는 게 두렵고 슬프다
동시에 기쁘고 벅차다
불안한 마음이 드는 밤이다
불안한 마음이 드는 이유는 분명히
내 삶에 틈이 생겼기 때문일 것이다

그냥 막 울고 싶고
미친 듯이 웃고 싶어서
웃으며 눈물을 흘렸다

사는 게 무섭다
내일이 무섭다
다음 주가 무섭고
내가 잘 해나갈 수 있을지 두렵고 불안하다

온갖 생각이 듦과 동시에
너무나도 기쁘다
내 삶에 무게가
내가 앞으로 헤쳐 나갈 것들이 사소한 것이 아니며
동시에 그 무게를 견뎌내었을 때

내가 무엇이 되어있을지 생각하면 미친 듯이 기쁘다
그래서 미친 듯 박장대소를 하며 뜨거운 눈물을 짜낸다

나는 내 삶, 내 업, 내 가족을 사랑한다
내가 아는 건 살아가는 방법뿐이다
나는 생존해 나갈 것이다

오늘도 내 할 일을 끝냈고
내일도 내 할 일을 끝낼 것이다
나는 오늘도 내일도
내가 맡은 역할들을 잘 해낼 것이다
아들로서 해야 할 역할
가장의 역할
직원의 역할
친구의 역할
주어진 역할을 묵묵히 해나갈 뿐이다

그리고 생각하지 않겠다
난 천재가 아니다
그래서 하늘의 뜻을 헤아릴 수가 없다
그러니 묵묵히 주어진 역할을 수행해 나가는 것이다
그것뿐이다.

뭔가 또 엄청난 발전이나 깨달음을 얻으려나 봅니다.

오늘은 잠이 오지 않습니다
월요일 아침 6시에 일어나야 하는데도
밤 11시 50분이 되어 이 글을 씁니다
내일이 두려워지기 시작했습니다
오늘 잠들기 아쉬워지기 시작했고요
그래도 괜찮습니다

오늘은 잠을 자지 않으려 합니다
앉아서 글을 쓰고 생각만 했던 밀린 일들을 처리하고
남은 시간엔 마음에 드는 책을 골라 읽으려고 합니다
인간 이상의 존재가 있다면 그는 저에게 조만간
큰 발전이나 깨달음을 주려고 하는 거겠지요
그래서 저는 괜찮습니다.

해바라기 샤워

사우나 시설이 있는 곳에 가면 내게 막연한 두려움을 주는 존재가
하나 있었다. 해바라기 샤워기. 샤워기라고 하기엔 무지막지하게 생
긴 그것. 줄을 당기면 찬물이 아주 시원하게 나오는 천장에 달린 그것

말이다. 어렸을 때부터 해바라기 샤워기는 나에게 공포의 대상이었다. 갑자기 쏟아지는 엄청난 양의 차가운 물로 샤워라니, 두려웠다.

나는 하루의 마무리로 사우나를 하는 것을 좋아한다. 그 날 남은 신체 에너지를 운동에 모두 소진한 뒤 온탕에 들어가 오늘 하루 있었던 일들, 내일 할 일들을 생각하기도 하고 중간중간 망상에 빠지기도, 미래를 그리기도 하면서 정신 에너지를 다듬고 있다 보면 기분도 좋고 집에 가서 잠도 잘 오기 때문이다.

어느 날, 어떤 멋있는 아저씨가 건식사우나에서 나와 덤덤하게 해바라기 샤워를 하고
냉탕에 들어가는 모습이 눈에 들어왔다. 해바라기 샤워기를 이용하는 사람은 많이 봤지만, 한 치의 흔들림도 없이 덤덤하게 서있는 사람은 그 아저씨가 처음이었다.
별것 아닌 일 같아 보이더라도 해바라기 샤워기에 대한 두려움이 있던 나에게 그 모습은 두려움에 맞서는 진정한 남자의 모습으로 다가왔다. 심지어 바로 냉탕에 들어가는 그 모습은 정말이지 나는 해낼 수 없는 것을 쉽게 해내는 사람에 대한 존경이 느껴질 정도였다.

나도 저런 멋있는 모습이 될 수 있을까 싶어 유리에 비친 나의 모습을 보았다. 운동을 아홉 달 동안 했었기에 꽤 운동한 티가 나는 내 모습이 나름 괜찮아 보였다. 하지만 영혼까지 진정한 남자로 거듭나기

위해서는 나도 해바라기 샤워를 해야 할 것만 같다는 생각이 들었다.

나는 바로 건식사우나로 향했고, 해바라기 샤워기에 대한 공포를 곱씹으며 정신이 아찔해 질 때쯤 사우나에서 나와 쿵쾅거리는 심장으로 해바라기 샤워기의 줄을 잡았다. 당기면 물이 쏟아질 것이라는 생각에 공포감이 더해져 심장은 더욱 빠르고 크게 요동치고 호흡은 더 빨라지고 있었다. 조금 전 사우나를 한 탓에 찬물에 대한 체감 온도는 더 낮게 분명했다. 하지만 이미 줄까지 잡은 마당에 그냥 지나가다 서 있었던 척은 할 수 없어 눈을 질끈 감고 줄을 당겼다.

쏴아아-

생각보다 센 수압과 차가운 온도가 느껴졌지만 금세 버틸 수 있겠다는 생각이 들어 두 번 세 번 계속해서 줄을 잡아 당겼고, 몸이 적응해 더 이상 차갑다고 느껴지지 않자 지난 26년간 남자인 '척'했던 나는 진정한 남자가 될 수 있었다.

연소

2024년이 된 지도 벌써 2달이나 지나 점심쯤 산책을 하고 있으면 벌써부터 봄 냄새가 나는 요즘이다. 분명 새해 다짐으로 다이어트, 금연, 공부 등 많은 이들이 각자 목표를 정하고 뜨거운 열정들을 불태웠을 것이라고 생각한다. 그래서 그런지 날이 더 빨리 풀려 금방이라도 벚꽃이 필 것만 같다. 꽃이 조금 늦게 피었으면 하는 마음에 열정을 활활 태우는 이에게 전하고 싶은 말이 있다.

열정을 너무 활활 태우지는 말라고. 그렇게 하지 않아도 봄은 이미 다가오고 있으니 같이 천천히 봄이 다가옴을 즐겨보는 것은 어떤지 말이다.

나는 열정을 불태우는 이를 보면 멋있고 대단하다는 생각보다는 불안한 마음이 먼저 든다. 아직 같이 가야 할 길은 먼데 도착하기도 전에 금세 꺼져버려 혼자 쓸쓸히 먼 길을 가야 할 것만 같은 생각이 들기 때문이다.

열정적으로 불타던 새로운 신입사원들은 금방 그만두기를 반복하고, 사랑도 금세 식어 버리고, 성공을 위해 독서, 금연, 금주, 운동 등 자기계발을 약속했던 친구들 또한 이런저런 이유로 미지근해졌다. 같은 곳을 바라보며 함께 하던 이들이 하나둘씩 멀어지고 홀로 걸어간다는 것은 여간 슬픈 일이 아니다. 그들의 멱살이라도 잡아 끌고 가고 싶지만 누가 누굴 챙기나, 잠깐 방심하면 내 몸 하나 건사하지 못한 채 휘청거리는 세상에서 말이다. 그러니 너무 열정을 불태우지 말라. 뜨끈하고 포근하게 갔으면 한다.

일관성

　몇 안 되는 페이지에 내 글을 채우면서 느낀, 나를 가로막는 점은 일관성의 부재이다. 오늘은 힘들어도 열심히 살라고 열심히 사는 법에 대한 글을 썼다가도, 내일은 힘들면 쉬라고 말하는 일관되지 못한 내 모습이 글을 쓰는 나의 손목을 잡는다. 일관성의 부재로 인해 이랬다 저랬다 하는 나는 결국 아무 글도 쓰지 못할 때가 있다.

　열심히 살라고 할 수도 없고 그저 쉬라고 할 수도 없이, 할 땐 하고 쉴 땐 쉬라 등의 어느 것 하나 책임 없는 말들밖에 할 수 없는 것이 나의 가장 큰 고민이다. 동시에 나조차도 크게 이루어낸 것이 없으면서 감히 '이건 이렇게 해야 한다, 저건 저렇게 해야 한다'라고 말할 자격이 있는가? 라는 생각이 들어 한참을 써 내려가다가도 글을 다 지워버리곤 한다.

　오늘은 나태한 자를 욕하다가도, 슬픔에 젖어 있는 자를 욕하다가도 나의 나태함에 대해, 연민에 빠진 모습에 대해 관대한 글을 쓴다. 우린 완벽한 존재가 아니다. 신이 아니기 때문에 사실 알고 보면 남들한테 감히 조언을 들이미는 것이 참 이상한 행동이라는 것이다. 완벽하지 않은 우리는 그 어떤 상황에서도 남에게 참견할 수 없다.

　사람들은 그걸 모른 채 남에게 참견하기 바쁘다. 공부, 연애, 결혼,

0부터 100까지 건방지게 조언한다. 조언이라 포장된 말은 본인의 지난 후회와 실패, 그리고 반성을 모아둔 것이 아닌가 싶다. 조언은 실패, 반성, 후회들이 모인 것이니 그닥 좋은 놈들끼리 모인 건 아니라는 것이다. 그러니 어디 가서 쓸모없는 조언을 구하지 않기로 하자. 그러니 그냥 살아라! 아무 말도 하지 말고 그냥 살아라.

세상에는 말이 필요 없다. 모든 정답은 당신 안에 있고 그저 그것을 따르기만 하면 될 뿐이다. 그 정답을 남에게 보여주는 순간 남들은 그 정답이 좋은 방향이든 나쁜 방향이든 바꿔놓기 마련이다. 정답보다 좋아졌다고 더 좋은 정답이 되는 건 아니다. 원래의 정답과 멀어질 뿐이다. 그러니 그냥 마음을 따르라. 아니, 머리를 따르라. 아니, 그냥 내 말은 무시해라.

일관성에 대한 글을 쓰다가도 결국엔 마음가는 대로 살으라는 말로 마무리를 짓는 것이 바로 나다.

비교

좋은 대학에 다니는 친구, 대기업에 취업한 사람 등 사람들에게는 각자의 인생에 있어 각각 다른 문제가 주어진다. 즉, 각자에게 모두 다른 삶이 주어진다. 그렇기에 앞사람에게 주어진 문제지를 컨닝한다고

자기 앞에 놓인 문제지가 잘 풀릴 거라곤 생각하지 않는다.

앞사람이 문제를 풀지 못하고 있더라도, 내 앞에 주어진 문제와 비슷해 보이더라도 결국 완벽히 같지 않기 때문에 어려움에 직면한 타인에게 그저 해줄 수 있는 것은 조언, 참견이 아닌 위로와 격려뿐이라고 생각한다. 사실 위로와 격려조차 거만한 태도로 느껴지기는 한다. 인생의 문제들은 결국은 각자 스스로가 정답을 내려야 하는 것이라고 생각하기 때문이다. 내가 스스로 내린 답이 정답인 건데 앞사람이 내린 답과 비교하면 무슨 소용일까? 어느 정도 참고는 할 수 있으나, 딱 그 정도까지가 좋다고 생각한다.

그저 본인이 내린 정답에 책임을 지고 긴 삶을 풀어나가는 것. 스스로 정답을 내릴 수 없다면 아직 자기 자신과 덜 친해진 것은 아닐지 생각해보는 것도 좋겠다.

욕심

무언가를 바라는 마음, 얻고자 하는 마음.

아무것도 바라지 않고, 아무것도 얻지 않고선 인간은 살아갈 수 없다. 욕심에 대하여 이야기한다면 정말 하룻밤을 지새우며 말해도 부족할 정도로 모든 인간의 역사는 욕심과 함께 흘러왔다고 할 수 있다. 빈손으로 와서 빈손으로 간다지만, 살아가는 내내 빈손으로 있는다면 그 또한 살아가며 많은 문제를 일으킬 것이다. 어쩔 수 없이 욕심, 욕구가 있어야 살아갈 수 있는 것이다. 그리고 나는 기왕 욕심을 낼 것이라면 욕심을 잘 부려야 한다고 생각한다.

원숭이 덫 이야기가 있다. 원숭이가 손을 겨우 집어넣을 수 있을 만한 크기의 구멍이 있는 조롱박에 견과류를 가득 채워 넣고 나무에 단단히 매어둔다. 그러면 원숭이들은 곧 조롱박을 찾아내고 손을 넣어 견과류를 한 움큼 쥘 것이다. 그러나 조롱박의 구멍은 겨우 손을 넣을 수 있는 정도이기에 견과류를 움켜쥔 손을 꺼낼 수 없다. 원숭이는 견과류를 손에서 놓으면 덫에서 탈출할 수 있다는 생각은 하지 못 한 채 덫을 설치한 인간에게 잡히고 마는 것이다.

인간은 알고 있었다. 대부분의 원숭이가 조롱박을 뒤집어 견과류를 꺼낼 생각을 할 수 없다는 것을. 배가 고팠던 원숭이가 조롱박 속 견과류를 탐낸 것은 지나친 욕심이었을까? 집에서 굶고 있는 가족에게 원숭이 고기를 가져다주기 위해, 혹은 그냥 재미를 보기 위해 덫을 설치한 인간의 욕심에 당한 그저 불쌍한 동물일까?

정말 똑똑하고 경험이 많은 원숭이는 이것이 덫이라는 걸 알아채곤 배가 고프더라도 견과류를 포기한 채 다른 먹이를 찾아 떠날 수도 있을 것이고, 또 다른 원숭이는 능숙하게 조롱박을 뒤집어 견과류를 꺼내 허기를 채울 수도 있을 것이다. 그저 조롱박을 이리저리 흔들다 운 좋게 방법을 알게 된 걸 수도 있다. 그러면 인간은 원숭이에게 견과류만 주고 허탕을 치는 일이 생길 수도 있겠지.

같은 것을 욕심내었지만 한 원숭이는 그것으로 인해 원치 않는 결과를 맞이했고, 다른 원숭이는 견과류를 포기하고 위험에서 벗어났지만 배고픔을 안은 채 다른 먹이를 찾아 또다시 헤매야만 했고, 다른 원숭이는 원하는 견과류를 얻을 수 있게 되었다.

인생을 살아가면서 누구는 덫을 치는 사람이 될 수도, 누구는 그 덫에 걸리는 원숭이가 될 수도, 덫인 걸 알고 피해 간 원숭이가 될 수도, 덫을 간파해 견과류를 쟁취한 원숭이가 될 수도 있다. 언제 누가 어떤 입장이 될지는 모르지만 말이다. 보통의 사람이라면 대부분 원숭이로 살아 가지 않을까 싶다. 뭐 일단 나는 확실한 원숭이다.

내가 원숭이의 입장이라면 덫에 걸리지 않기 위해 욕심을 부리더라도, 욕심을 부리기에 앞서 나의 능력을 파악하고 욕심을 부려도 괜찮을지를 먼저 판단하는 것이 중요하다는 생각이 든다. 하지만 지나고 보면 나의 과한 욕심이었음을 뒤늦게 깨닫는 순간들이 있다. 아니면 갈수록 교묘해지는 덫에 그간의 경험이 무용지물이 되는 순간이었을 수도 있겠지. 참 어려운 세상이다.

다짐에 대하여

나는 다짐이 참 싫다. 내일부터 열심히 살겠다던가, 앞으로는 돈을 아낄 것이라는 등 많은 다짐을 하며 살지만, 이러한 다짐들은 열심히 살지 않았다는 반증이 되고 돈을 아끼지 않았다는 반증이 된다. 그리고 주변에 열심히 나의 다짐을 말하면 벌써부터 내 다짐이 이루어진 것 같은 착각이 드는 것 같아 내가 원하는 모습으로 변하기가 쉽지 않다. 서점에 들어가 책을 왕창 산 뒤 서점을 나서면 벌써부터 똑똑해진 것 같은 느낌이 드는 것처럼 말이다. 그래서 나는 의식적으로 다짐하지 않으려 노력한다.

다짐하지 않고 어떻게 사람이 변화할 수 있냐고 내게 묻는다면 나는 '변하지 말라'고 답하고 싶다. 열심히 살 것이라는 다짐보다는 '나는 원래 열심히 살던 사람인데 이상하네?'라는 생각이 들 정도로 스스로를 속이고 그렇게 계속 속아 넘어가다 보면 어느새 진짜 그런 사람이 되어 있는 자신을 발견할 수 있다는 것이 내 생각이다.

그러니 다짐 같은 것으로 스스로를 비하 아닌 비하하는 행위는 이제 그만 둘 때라고 생각한다.

글이란

　문득, 내 글이 조금 차갑고 고독해 보인다는 생각이 들어 뜨겁고 따뜻한 글을 쓰고 싶어졌다. 이렇게도 써보고 저렇게도 써보다가 도무지 차갑고 고독한 기운을 벗겨낼 수 없어서 '글'이란 무엇일지 생각해 봤다. 글은 정적인 것이라 본래의 기운이 차가운 것이라는 생각이 들다가도, 꼭 그렇지만은 않은 것 같아 따뜻하고 뜨거운 글들을 찾아보았다. 그러다 문득 누구를 생각하며 쓰는지에 따라 글의 온도가 바뀐다는 결론에 도달했다. 나의 글은 내가 나에게 건네는 말들과 진배없는 글이다. 그러니 대체로 글들이 차갑고 고독하게 느껴지는 것일 테다. 내가 나에게 쓰는 글이라니 고독하지 않을 수 있겠는가? 분명 사랑하는 사람에게 쓰는 글은 그 기운이 따뜻할 것이고, 대중을 향한 글은 그 기운이 뜨거울 것이다. 그러니 마음을 전하는 손편지는 차가운 종이에 쓰여져도 그 온기가 느껴지는 것이다.

어떤이의 위로

초원

초원
계절이 바뀔 때면 계절마다 나는 특유의 냄새를 느낄 수 있었고, 길을 걷다 외로운 생명체를 만날 때면 근처 편의점을 찾아 뛰어다니기 일쑤다 모든 것은 경험으로부터 얻고 깨닫는 것처럼, 큰 굴곡을 여러 번 맞이한 인생 덕분에 다른 이의 아픔 또한 어렵지 않게 이해하고 공감한다. 이 세상은 소망과 희망도 중요하지만 그보다 위로가 먼저 있어야 하며, 우리는 그렇게 또 한 번 세상을 살아갈 힘을 얻는다. 글로서 위로를 전하고 싶다.

인스타그램: @chdnjs.22l

길고양이

여름이 무서웠다.

뜨거운 햇빛을 피할 곳은 더럽고 습한 지하밖에 없었으며 그곳엔 언제 죽었는지 모를 동료의 사체만이 덩그러니 놓여 있었다. 배고픔에 죽은 걸까, 더위에 지쳐 죽은 걸까, 알 수 없는 이유는 아무도 알려 하지 않았다. 이곳에서의 죽음은 그저 굴러다니는 한낱 쓰레기밖에 되지 않았으니까. 한참을 그렇게 생각에 잠겨있다 정신을 차리고 보니, 어느새 날아온 까마귀 떼가 그의 주의를 빙 둘러앉아 있었다. 이렇게 보니 아무리 하찮은 죽음도 죽음은 맞나 보다. 그들은 그렇게 동료의 마지막 가는 길을 애도해 주었다.

겨울이 무서웠다.

바닥에 고인 구정물을 마시며 버티고 버텨서 두 계절을 넘어왔건만 그런 나를 비웃기라도 하듯, 날카로운 비바람은 더욱 세차게 불어와 어깨를 두드렸다. 여름 사막의 오아시스가 겨울철 날카로운 칼날이 되어 온몸을 깊이 파고들었다. 나는 끔찍한 고통을 피하려고 여기저기 도둑고양이처럼 기웃거렸다. 그러나, '도둑이 제 발 저린다.'고 했던가? 나는 어디선가 들려오는 호통 소리에 그곳을 잽싸게 뛰쳐나오는 것밖에는 할 수 있는 게 없었다. 그렇게 나는 또 한 번 종착지 없는 거리로 내몰렸고 어디를 향해 가는지도 모른 채, 계속해서 걷고 또 걷고 한참을 걸었다. 이윽고 정신을 차릴 때쯤에는 며칠 전 동료가 죽어있던 지하실 앞이었다. 아. 이제 내겐 더 이상 걸을 힘이 없다. 나는 꽤 오랜 시간 추위에 떨었고 배고픔에 지쳐버렸다. 그렇게 한 걸음, 한 걸음 고된 몸을 겨우 움직여 동료가 죽어있던 그곳에 최대한 몸을 웅크리고 누웠다. 얼마나 지났을까. 파르르 떨리는 두 눈을 반쯤 떴을 때, 나는 미소를 지을 수밖에 없었다. 저 멀리 검은 무리의 까마귀 떼가 나를 향해 날아오고 있었다.

짝사랑

대가 없는 사랑.
그것이 내가 가질 수 있는 유일한 자격.

희망을 품을 자격도, 기대할 자격도, 질투할 자격도
명분도 내게는 없다.

그것은 나의 하루를 설렘과 행복의 색으로 칠했으며
그것은 나의 하루를 분노와 슬픔의 색으로 채우기도 했다.
그것은 나의 색을 이토록 투명하게 만드는 위대한 것이지만
그것은 끝내 나를 검은색으로 덮어버렸다.

외사랑

흔들리는 마음 하나 주체 못 해
욕망의 씨앗이 고개를 들어
나를 더욱 초라한 행색으로 거리에 내몰았다.

그것은 나를 길 위에 떠도는 거리의 부랑자로 만들었다.
그것은 나를 무리 속에 속하지 못한 이방인으로 만들었다.
그것은 위대하지만 한없이 나를 비참하게 만들었다.

소문

씨앗을 심었다.
그랬더니 얼마 안 가, 새싹이 돋아났다.
나름의 정성을 쏟아 부었다.
그랬더니 나무는 금방 훌쩍 커버렸다.

무심코 말을 내뱉었다.
그랬더니 얼마 안 가, 사람들의 관심이 쏟아졌다.
조금의 과장을 보태어 이야기를 전달했다.
그랬더니 소문은 금세 널리 퍼져나갔다.

걷잡을 수 없이 커진 소문의 나무는
내가 더 이상의 물과 관심을 주지 않아도 계속해서 자라났고
누군가의 목을 주렁주렁 매다는지도 모른 채
그렇게 무성한 숲이 되어갔다.

구제

나는 버려졌다.

더 이상의 쓸모가 없어졌다는 것은

더 이상 세상에 존재할 이유도 함께 사라졌다는 것이다.

한때 잘나가던 나는

많은 이들의 관심과 사랑을 받고 자랐으며

그것을 곧 내 '삶'의 존재 가치로 여겼다.

물론 알고 있었다.

세상에는 영원한 것이 없으며

내게 쏟아지는 관심과 사랑 또한 영원하지 않다는 것을.

사람들이 더 이상 나를 찾지 않으리라는 것을

나는 이미 알고 있었다.

그러나 내가 알고 있다고 해서 변하는 것은 없었다.

나는, 나를 사랑하는 법을 몰랐지만 언제나 늘 사랑을 원했고

그렇기에 버려진 지금도

누군가가 나를 구제 해주기만을 갈망하고 있을 뿐이다.

생각

짧으면 섣부른 판단을 하게 되고
길면 아무것도 하지 못하게 된다.
짧으면 순간에 감정에 휘둘리게 되고
길면 묵혀둔 감정까지 꺼내 들게 된다.
짧으면 짧은 대로.
길면 긴 대로.

시한폭탄

[00:28:59]

큰일이다.

시간이 얼마 남지 않았다.

곧 이곳에 폭탄이 터질 것이다!

대피로가 있었다면 당연히 피했겠지만

폭탄이 들어있는 곳은 다름 아닌 내 머릿속이었기에

대피는 고사하고, 나는 지금 옴짝달싹 못 하는 상황에 놓여있다.

아찔해지는 정신을 겨우 붙잡아 두고

폭탄을 제거하려 온갖 지식과 기억을 더듬어 해결책을 찾아봤지만

이놈의 머릿속은 별 도움이 되지 않을뿐더러

오만 가지 오물들로 가득 차 있다.

지금 어떤 것도 폭탄의 시간이 흐르는 것을 멈추지 못하고 있다.

이렇게 가다가 결국.

내 머리는 '펑'하고 터져버릴 게 분명하다.

지하철

am 7:30

파도에 휩쓸려 갔다.

사람들은 하나같이 팅팅 부은 얼굴을 잔뜩 찡그린 채

고개를 숙여 휴대전화 화면만을 응시하거나, 눈을 감고 있었다.

그들은 지금 당장 본인 앞에 있는 사람이 어떠한 몰골로

거대한 두 바위 틈새에 끼어 허우적대고 있는지에 대해서는

전혀 관심이 없는 듯했다.

그렇게 몇분이 흘렀을까.

파도는 또 한 번 거세게 일어났고

잠깐의 혼란을 틈타

바위에 끼어있던 사람은 다행히 안전지대로 대피할 수 있었다.

Pm 2:00

이 시간은 늘 고요했다.

누구 하나 특별히 재밌는 일도, 불쾌한 일도 없어 보였다.

무표정한 얼굴들이 마치 잔잔한 물결과도 같아

평온하게까지 느껴졌다.

속을 들여다보기 전까지는 그런 줄로만 알았다.

겉보기엔 그저 수심이 깊은 고요한 강물처럼 보였으나

한 발짝 조금 더 내디디니

고요하단 말이 무색하게 감춰진 내막이 훤히 보였다.

그 속에는 팔다리를 마구 허우적거리며

수심 가득 찬 얼굴을 띈 사람들이 있었다.

그렇게 각자가 저마다의 사정으로

조용히 살기 위한 몸부림을 치고 있었다.

Pm 6:30

파도가 다시 한번 크게 일렁였다.

아니나 다를까.

파도에 휩쓸린 사람들은 여기저기 서로의 살갗이 부딪치고

낯선 사람과의 스킨십이 난무하였다.

비명과 함께 곳곳에서는 앓는 소리가 터져 나왔고

그 모습을 가만히 보고 있자니

이곳은 마치 전쟁터를 연상케 했다.

몇몇에 들뜬 얼굴들을 제외하고선

모두 오전과 같은 모습을 하고 있었으며

거기에다 각자가 무거운 짐까지 한가득 지고 있다 보니

뒤에서 바라보는 그들의 축 처진 어깨 모양새가

꽤 애처로워 보였다.

노인

배움이 짧아 뒤늦게서야 한글을 배웠다.
내 이름 석 자를 쓰기까지
생각보다 꽤 오랜 시간이 걸렸지만, 그래도 행복했다.
펜과 종이를 꺼내 들어
사랑하는 이에게 삐뚤빼뚤한 편지를 써 내려갔다.

보고 싶은 이들의 안부가 궁금하여 문자 보내는 법을 배웠다.
요즘은 편지가 아닌,
휴대전화 하나로 대화를 한다기에 서툴지만, 열심히 배웠다.
한 글자, 한 글자 느리지만 제법 잘 써 내려갔다.

그렇게 문자 보내는 법을 배우고 나니
이번에는 인터넷을 배우라고 한다.
정확히 말하면 검색하는 법까지만 배울 수 있었다.
여기까지 오는 것도 내게는 정말 오랜 시간이 필요했다.
느릿느릿 검지손가락 하나로 자판을 두드리는 모양새가
조금은 우스웠다.

이렇게 무엇 하나를 배우고 나면 다른 무언가가 또 생겨났다.
어떤 이의 말처럼.

얼마 남지 않은 인생 그냥 산다고 문제 될 것은 없었다.

그러나.

오매불망 기다려도 오는 족족 예약된 차라며 나를 거부하던

택시에 서럽지 않으려면, 나는 택시 부르는 법을 배워야 했고

오랜만에 즐거운 마음으로 관람하고 싶었지만

인터넷 예약을 하지 못해

다시 돌아가는 처량한 신세로 서럽지 않으려면,

나는 인터넷 예약을 하는 법도 배워야 했다.

세상은 빠르게 발전하고 있는데 우리들은 과거에 살고 있다는 게

얼마나 서러운 일이란 말인가.

기계 앞에 쩔쩔매며 햄버거 하나 제대로 사 먹지 못하는 인생

얼마나 서러운 인생이란 말인가.

사랑의 이름표

살면서 소중한 누군가를 처음으로 떠나보냈다.
하나, 둘
온 가족이 차례차례 마지막 인사를 나누었지만
멍청한 소녀는 밀려오는 부끄러움에
마지막 인사도 제대로 나누지 못한 채
그냥 그렇게 떠나보냈다.
살면서 그리움을 느끼는 날은 생각보다 많지 않았다.
아니, 생각해야만 비로소 그리움을 느낄 수 있었다.
어쩌다 가끔 꿈에 나올 때면 그게 마냥 반갑지만은 않았다.
꿈에서 깰 때면, 아무래도 잊고 살았다는 죄책감이
한꺼번에 몰려왔기 때문이다.
시간이 흘러
어리석은 소녀는 어리숙한 어른이 되었지만
여전히 가슴 속에 당신의 이름표를 고스란히 둔 채
묻어두지도, 그렇다고 제대로 떠나보내지도 못하고 있었다.

나는 그렇게 나의 '할머니'를 가슴속에 묻어두지도,
그렇다고 제대로 떠나보내지도 못하고 있었다.

고층빌딩

　부모님은 오랜 시간 나를 등에 업고 반지하에서부터 5층짜리 구축 빌라까지, 많은 우여곡절 끝에 올라오셨다. 덕분에 이곳은 그들의 땀과 노력이 밴 소중한 안식처가 되었지만 나는 언제나 늘 더 높은 곳을 원했고, 그렇기에 나의 목마름에 갈증은 어떤 걸로도 해소할 수 없다. 이 갈증을 없애기 위해서 나는 반드시 고층빌딩으로 올라가야만 했다. 빌딩의 최고층을 향해 내가 걸어 올라가야 할 계단의 개수는 몇 개가 될지, 또 얼마나 오랜 시간이 걸릴지, 생각을 해봐도 알 수는 없었다. 어떤 이는 태어날 때부터 엘리베이터를 가지고 태어나, 손가락 하나만으로 누구보다 빠르게 최고층으로 도착한다던데. 엘리베이터는 고사하고 에스컬레이터조차 없이 태어난 나는, 그저 나의 두 다리만으로 한 계단, 두 계단 직접 올라가는 방법밖에는 없었다. 그렇게 이곳, 5층짜리 콘크리트 벽 틈새로 원망이라는 꽃이 스멀스멀 피어나려 할 때쯤. 나는 어딘가에 있을 나만의 고층빌딩을 향해 걸어갈 채비를 서둘렀다.

선

혹시나 넘어갈세라

흐르는 땀을 닦지도 못하고 종종걸음으로 걷는 폼이 퍽 우습다.

조금의 자극이라도 올 때면

요동치는 심장 하나 주체 못 해

크게 휘청이는 꼴 또한 정말 우습다.

그만두면 넘어갈 걱정도 없을 것을

고작 마음 하나 내려놓지 못해

언제 떨어질지도 모를 외줄타기를 한다는 것이

마냥 우습게만 느껴진다.

앞에 그어진 선 하나가

더 이상 다가오기를 거부하는 신호면 어쩌려고.

실수로 넘기라도 한다면 그땐 또 어쩌려고.

대체 어쩌려고 나는…

당신이 그은 선 위로 불안한 외줄타기를 하는 것일까.

사과

예쁘게 포장된 상자 안에는

반짝반짝 윤기가 나는 새빨간 사과가 들어있었다.

상자 안에 든 사과를 집으려 손을 뻗은 나는,

곧이어 튀어나온 불편이라는 감정에 의해 가로막혀버렸다.

내가 그렇게 주춤하는 사이

어디선가 '진심이야.'라는 음성이 귓가에 들려왔다.

진심이라는 두 글자에 불편한 감정을 뒤로하고

상자 속 새빨간 사과를 꺼내 들어

입안 가득 크게 한 입 베어 물었다.

.

.

'윽'

.

.

나는 몇 번 씹지도 못한 사과를 그대로 뱉을 수밖에 없었다.

깨끗하고 깔끔한 겉모습과는 달리,

사과의 속은 썩어 문드러지다 못해

벌레가 득실득실 가득했고, 구멍까지 크게 나 있었다.

나는 그걸 한 입 베어 물고서야 알 수 있었다.

내가 받은 사과는 진심이 텅 빈 사과였다.

스마트한 세상

몸이 아파 검색을 했다.
그중 맘에 드는 의사를 골라 병을 치료했다.

먹고 싶은 음식이 생겨 검색을 했다.
그중 맘에 드는 요리사를 골라 만찬을 즐겼다.

새로 관심 있는 분야가 생겨 검색을 했다.
그중 맘에 드는 선생님을 골라 취미생활을 즐겼다.

외모가 맘에 들지 않아 검색을 했다.
그중 맘에 드는 성형외과를 골라 사진을 찍었다.

일상이 지루하길래 검색을 했다.
그중 맘에 드는 친구를 골라 대화를 나누었다.

크리스마스를 함께 보낼 이성이 필요해져 검색을 했다.
그중 맘에 드는 대상을 골라 데이트를 즐겼다.

평생 함께할 가족이 만들고 싶어져 검색을 했다.
그중 맘에 드는 상대를 골라 결혼을 했다.

자존감

한 아이가 있다.

얼굴이 흐릿하여 잘 보이지는 않았지만

아이의 순수한 두 눈망울만큼은 유독 선명하게 보였다.

뭐가 그리 즐거운지 연신 올라간 입꼬리는

내려올 생각이 없어 보였다.

아이는 한참을 이곳저곳 신나게 뛰어다녔다.

그렇게, 까르르거리던 아이의 웃음소리가 듣기 좋다고 생각할 때쯤

소리는 이내 '뚝.' 하고 끊겨버렸다.

아이의 순수함으로 반짝이던 두 눈은, 눈물을 가득 머금어

금방이라도 울음을 터트릴 것 같았다.

아이의 모습이 급격하게 바뀐 것은 아무래도

저 낯선 이의 등장 때문인 듯했다.

그는 언제부터 이곳에 있었는지 모를 정도로

조용히 아이 앞에 나타났다.

둘의 모습을 잠시 바라보던 나는

아이가 걱정되어 그들에게 다가갔다.

거리가 가까워질수록 이상하게도

익숙한 목소리가 귓가에 들려왔다.

"너는 못났고, 너는 멍청해."

"너는 잘하는 게 하나도 없어."

"너의 꿈은 그저 허황된 꿈이야."

"너는 어떤 것도 가질 수 없어."

"사람들은 그런 너의 곁을 떠날 거야."

"너는 이 세상에 쓸모없는 존재야."

아니 도대체 어떻게 생긴 사람이면,

꿈과 희망을 심어줘야 할 어린아이에게

저따위에 말들을 내뱉을 수 있을까?

순간에 분노가 차올랐다.

저 낯선 이에게 한마디 해야겠다 싶어

그의 어깨를 잡고 거칠게 돌려세웠지만

그의 정체를 확인한 나는 어떤 말도 할 수가 없었다.

왜냐하면…. 그는 다름 아닌 나였다.

낯선 이의 정체에 충격을 받은 나는

재빨리 고개를 돌려 아이의 얼굴을 확인했다.

아이는 어린 시절의 내 모습을 하고 있었다.

그러니까 그들은 다른 누군가가 아니라, 모두 나였던 것이다.

나는 애석하게도 그들의 얼굴을 확인하고서야 깨달았다.

지금껏 살아오면서 두려움이라는 감정 하나 때문에

나는 나를 깎아내리고 갉아먹으며 살아왔다.

나를 가로막는 건 아무것도 없었는데 멍청하게 그걸 몰랐다.

나를 가로막는 건 오로지 나 하나뿐이었는데

멍청한 나는 늘 세상을 탓하고 있었다.

익명

'푸욱-'

　서늘하게 날이 선 칼을 집어 들고 내 앞에 있는 그녀의 심장을 향해 가차 없이 팔을 뻗어 깊숙이 찔러 넣었다. 고통스러운 신음과 함께 바닥에 나뒹구는 그녀를 보고있어도 어떠한 일말의 죄책감 따위는 전혀 들지 않았다. 이로써 내가 그녀보다 우위에 있다는 것을 마치 세상에 증명이라도 하는 것 같아 왠지 모를 우월감마저 들었다. 그녀는 칼에 찔린 심장을 움켜잡으며 허공에 대고 울부짖었다. 제발 그만하라며 울부짖는 그녀의 모습이 불쌍하게 느껴지기 보단, 그저 한 마리의 짐승이 포효하는 것처럼 보였다. 나는 그런 그녀에게 다가가 이번에는 그녀의 목을 향해 주저없이 칼을 집어 들어 올렸다. 얼마 안 가, 손끝에서 느껴지는 소름 끼치는 감촉에 여기저기 붉은 피가 튀었고, 새하얗던 바닥은 금세 새빨간 피로 물들어갔다. 더 이상 그녀의 울부짖음은 들리지 않았다. 아무도 나를 보지 못한다는 사실은, 내 안에 두려움이라는 감정을 서서히 지워나갔으며 이내 죄책감마저도 사라지게 했다.

　이곳에서의 나는 '투명 인간 살인마' 라고도 불린다.

세모의 착각

나는 모난 존재야.

생긴 모양새가 이렇다 보니 모두 내 옆에만 있으면 상처를 받지.

다들 나보고 왜 이렇게 날을 세우냐는데

태생이 이런 걸 어쩌겠어?

난 그저 생긴 대로 사는 거일 뿐이야.

내가 만약 동그라미로 태어났다면

지금과는 다르게 모두를 친절하게 대하겠지.

근데 보다시피 난 둥근 곳이 하나도 없잖아?

그러니 난 죄가 없어.

나를 욕하려거든

나를 이렇게 만든 세상을 욕해.

별이 세모의 말에 반박했다.

나는 어떤 존재 같아?

보다시피 내가 너보다 뾰족한 곳이 많은데

나도 너처럼 모난 존재로 보이니?

나는 너와 달리, 누군가에게 상처 주는 행동을 하지 않아.

오히려 그들의 어두운 마음을 빛으로 밝혀주고 싶어 하지.

모두가 빛나는 내 옆에 있기를 원해.

그러니까.

너는 그저 너의 생김새를 핑계 삼아

못된 행동들을 합리화하고 있는 것일 뿐이야.

원래 그런 건 없어.

세상은 말이야.

내가 대하는 것만큼 나를 대해.

네가 세상을 싫어하고 혐오하면

세상 또한 너를 싫어하고 네가 혐오할 것들만

잔뜩 가져다준다는 걸

꼭 명심해.

지는 해

뜨는 해가 말했다.

사람들은 1월 1일이 되면 내게 소원을 빌어.

내가 나오기만을 기다렸다가

등장이라도 하는 순간,

하나같이 카메라를 들어 플래시를 터트리고

환호성을 내지른다니까?

그것뿐인 줄 알아?

그들은 고민이 있을 때마다 새벽같이 산에 올라 나를 찾기도 해.

난 그들의 소망이자 희망인 거야.

고로, 내가 너보다 더 가치 있다는 뜻이지.

지는 해가 말했다.

그래. 너는 사람들의 소망이자 희망이야.

그들은 너를 보기 위해 더 좋은 자리를 찾아다니고

추위에 얼어붙은 손발에도 아랑곳하지 않고

오로지 설렘과 기대로만 너를 기다리지.

그런 너와 다르게 나를 기다리는 사람은 없어.

내가 등장했다가 사라지는 순간

세상은 빠르게 어둠으로 변해갈 테니

아무래도 하루가 아쉬운 거지.

근데 그거 알아?

너와 다르게 나는 언제나 사람들의 일상에 스며들어 있어.

나는, 고된 하루로 지친 그들의 마음을 어루만지고

축 처진 어깨를 다독이지.

고로, 나는 그들의 위로인 거야.

편지

고요한 새벽.

달빛을 조명 삼아

최대한 예쁜 글씨로

정성스럽게 한 글자 한 글자 써 내려갑니다.

창문 너머 들려오는 새벽 별의 흥얼거림이

말랑한 저의 감성을 톡톡 건드렸고

그렇게, 딱딱하게 굳어있던 이성은 사라진 지 오래였죠.

고마운 마음.

좋아하는 마음.

그렇기에 보고 싶은 마음까지.

이 모든 마음을 펜 하나에 꾹꾹 눌러 담아

흰 종이 위로 당신의 안부를 묻습니다.

From. 글쓴이.

흐르는 선율은 죽지 않는다

김세연

김세연　성장의 힘을 믿는다. 그 믿음으로 매일 이야기를 써 내려간다. 영화가 시작되기 전 극장이 아득한 어둠으로 뒤덮이는 순간, 그 무한한 가능성의 찰나를 좋아한다. 언제나 어둠에 갇힌 주인공이 성장하는 이야기를 그려내는 건 이 때문일지도 모르겠다. 이 나이쯤 됐으면 덜 헤맬 줄 알았으나 여전히 헤매고 있으며, 앞으로도 부지런히 헤맬 생각이다. 방황은 곧 살아있음을 뜻하니까.

1

택시가 멈춘 건 출발한 지 3분 만의 일이었다. 목적지는 여전히 알수 없었다. 어디론가 향하려고 택시를 탄 게 아니었으니 당연했다.

목적지는 없어도 목적은 있었다. 나는 누군가에게서 벗어나기 위해 택시를 탔다. 택시가 가로수를 들이받을 때 머리를 세게 부딪혔는지 누군가가 누군지는 전혀 기억나지 않았다. 끄집어내려고 할 때마다 뇌 깊숙한 곳을 바늘로 찌르는 듯한 감각이 온몸에 퍼졌다. 또 다른 내가 나에게 살고 싶으면 떠올리지 말라고 경고하는 것만 같았다. 기억을 지운 건 가로수에 부딪힌 충격이 아니라 생존 본능일지도 모르겠다.

꼭 감은 눈이 떨리기 시작했다. 감는 데도 한계가 찾아온 것이다.

이 틈을 놓치지 않고 매캐한 연기와 찐득한 피비린내가 눈 좀 뜨라며 코끝에 매달렸다. 다 부질없는 노력이었다. 내 몸이 구급차에 올랐다는 확신이 들었을 때만 눈을 뜰 계획이었으니까.

웅성거리는 소리가 점점 커졌다. 택시 기사 쪽에서는 여전히 아무 소리도 나지 않았다. 내 몸도 여전히 아프지 않았다. 역시 이 피비린내의 주인은 택시 기사였다. 즉, 택시 기사는 과다출혈로 이미 사망했다. 가족도 알아보지 못할 몰골로. 결론을 내리고 나니 구급차가 오기 전에 도망치고 싶어졌다. 죽은 택시 기사를 두고 도망친 승객을 처벌하는 법이 있는지 갑자기 궁금해졌다.

"정말 쓸데없는 질문이네요! 다행히 최선율 님이 먼저 돌아가셨답니다."

택시 기사의 목소리였다. 들려서는 안 되는 목소리가 들린다면 계획은 무효였다. 눈을 뜨니 피투성이가 된 택시 기사가 고개를 젖힌 채 금붕어처럼 뻐끔거리며 말하고 있었다. 평생을 주는 것만 받아먹은 관상용 금붕어가 분명했다. 나도 별반 다르지 않았다.

"19XX년 X월 X일생 최선율 님 맞나요?"

택시 기사, 정확히는 택시 기사의 몸을 빌린 존재는 내 인적 사항을 마저 읊었다. 여성, 29세, 직장인… 아는 내용에 귀 기울일 필요는 없었다. 시선을 옆으로 옮기니 내 시체가 보였다. 엎어진 뒤통수를 보자 한숨이 절로 나왔다. 안전벨트 맬걸, 아직 이루지 못한 꿈이 있는데, 따위의 후회에서 비롯된 한숨은 아니었다. 죽기엔 아직 젊다는 이유도, 갑자기 핸들을 꺾은 택시 기사를 향한 원망도 아니었다. 생각보다 훨씬 납작한 뒤통수에 대한 언짢음과 유치하게 저승사자냐고 물을 뻔했다는 자괴감에서 튀어나온 것이다. 미지의 존재는 한숨을 대답으로 받아들였는지 말을 이어갔다.

"참고로 전 저승사자입니다. 뻔하게도요. 망자에게 기회를 주는 저승사자라고 한다면 덜 뻔해지려나요?"

마지막 문장이 있어도 뻔했다. 저승사자는 내 얼굴에 드리운 짙은 실망을 느꼈는지 주저리주저리 떠들었다. 그중 쓸만한 내용만 골라 요약하자면 이렇다. 나는 지옥에 갈 예정이라는 것. 지옥에 가는 이유는 기밀 사항이며 어차피 본인이 잘 알 테니 묻지 말 것. 나는 간발의 차이로 지옥에 가는 거라 조건 하나만 바뀌면 안 간다는 것. 그 조건이란 지금과 정반대의 인간이 되어야 한다는 것. 저승에서 데이터를 백업하는 주기가 3일이라는 것. 그러므로 내게 주어진 시간은 3일이라는 것.

지옥이라니. 나 같은 인간이 천국으로 가는 건 말이 안 되지만 지옥에 가는 건 더 말이 안 된다. 천국에 갈 만큼 낯짝은 두꺼워도 지옥에 갈 만큼 죄를 짓지는 않았다. 아무리 생각해도 답은 천국이다. 저승사자는 계속 떠드는 중이었다.

"아, 중요한 사실을 말씀드리지 않았네요! 다른 사람 몸으로 들어가서 과거의 본인을 바꾸시는 겁니다. 어떤 몸으로 들어가는지, 또 몇 명의 몸으로 들어가는지, 몸마다 머무는 시간은 얼마인지 저도 모릅니다. 현재의 영혼이 과거로 돌아가면 영혼을 둘러싼 세계가 불안정해지거든요. 흐름을 거스르는 일이니까요. 그러니 과거의 본인한테 정체를 밝히거나 들키는 일은 없어야겠죠? 자, 3일 전으로 돌아가시겠습니까?"

확실히 덜 뻔해졌다. 돌아가겠다고 말하려는 순간, 저 시끄러운 주둥이 때문에 잊어버린 사실이 떠올랐다. 인간은 아무 이유 없이 호의를 베풀지 않는다. 아무 이유 없이 호의를 베푸는 인간은 덜떨어졌다. 물론 내 앞에 있는 건 저승사자지만 똑같은 논리를 적용하는 게 맞았다. 허튼수작 부리면 죽은 몸에 들어간 영혼이라도 꺼내 박살 내주겠다는 작정으로 입을 뗐다.

"내가 지옥으로 안 가면 네가 얻는 건 뭔데?"
"지옥이 매년 역대 최고 실적을 달성하며 성과급 파티를 연다는 사실을 알고 계시나요? 저하고는 관련 없는 이야기지만요. 근데 많은 인간이 저승사자가 지옥에서 일한다고 여기더군요. 그건 공무원이 사기업에서 투잡 뛴다는 말이나 다름없는…"

"또 시작이네. 핵심만 말해."

"천국 쪽 임원들하고 은밀하게 계약 하나를 맺었습니다. 듣자 하니 천국은 매년 역대 최저 실적을 달성하고 있다더군요. 천국으로 가는 기준만 낮추면 해결될 문제인데 회장 자존심 때문에 그러지도 못한답니다. 그래서 천국 쪽 임원들이 간발의 차이로 지옥에 가는 인간을 선정해서 몰래 기회를 주기로 했습니다. 선정된 인간과 접촉하는 일은 저한테 맡겼고요."

"회장이 알게 되면 어떻게 되는데?"

"저나 천국 쪽 임원들은 곧바로 저승계 최고형인 소멸형에 처하고, 최선율 님은 원래대로 지옥에 가시겠죠. 죄가 추가된 채로요. 과거의 본인한테 정체를 밝히거나 들키면 안 된다는 건 사실 이런 맥락에서 드린 말씀이었습니다. 자, 3일 전으로 돌아가시겠습니까?"

"다른 인간들은 이쯤 하면 넘어갔나 보네? 어쩌나. 난 아닌데. 너 아직도 네가 얻는 게 뭔지 말 안 했어."

"꽤 끈질기시군요. 좋습니다. 최선율 님이 3일 전으로 돌아가시면 전 즐거움을 얻습니다."

"어떤 종류의 즐거움인데? 선의에서 비롯된 건 당연히 아닐 테고."

"악의도 아닙니다. 인간이 개미집을 관찰하는 심리와 비슷합니다. 관찰은 언제나 뜻하지 않은 즐거움을 안겨주죠."

"소멸할 위험과 맞바꿀 만큼? 그게 그만한 가치가 있나?"

"물론입니다. 뒤늦은 깨달음으로 허둥대는 모습도 재밌고, 과거의 본인을 증오하게 되는 과정도 볼 만합니다. 그래도 과거의 본인을 정반대의 인간으로 바꿀 수 있다는 착각만큼 즐거운 건 없지만요."

"갈게. 3일 전으로. 아무리 생각해 봐도 누굴 죽인 적은 없어서 말이야."

공손한 듯 어딘지 삐딱한 말투가 저승사자보다는 악마에 가까워서 맘에 들었다. 천국의 사정이 안쓰러워서 도와주고 싶었, 인간의 본성은 선하다는 둥 헛소리를 늘어놓았다면 차라리 지옥을 택했을 것이다. 지옥에 안 갈 수 있는 조건도 맘에 들었다. 나는 나를 아주 잘 아는 인간이었다. 몸에 난 모든 흉터가 품은 사소한 역사를 전부 기억할 정도로. 과거의 나를 바꾸는 일은 식은 죽 먹기도 아니었다. 그 죽은 이미 내 배에 들어와 소화가 끝난 지 오래였다. 저승사자의 착각은 곧 나의 즐거움이 될 것이다.

저승사자가 알 수 없는 말을 웅얼거리자 물속에 들어온 듯 귀가 먹먹해졌다. 시야가 점차 흐릿해졌다. 감기는 눈 사이로 와이퍼에 낀 빨간 목도리가 보였다. 언제부터 있었던 걸까. 택시에 탄 뒤로 핸드폰만 하느라 앞을 전혀 보지 못했다. 핸드폰을 하지 않았다면 목도리가 왜 저기 있는지 알 수 있었을까. 잠깐, 지금 여름이잖아. 정지 버튼을 누른 듯 모든 소리가 일제히 끊기자 아득한 어둠이 펼쳐졌다.

2

똑— 똑—

무언가 가볍게 두드리는 소리에 엎드렸던 몸이 반사적으로 일어나 졌다. 눈 앞을 가리는 샛노란 머리털을 치우니 3일 전 내가 서 있었다. 주위를 둘러보니 회사 1층에 있는 편의점이었다. 출근하기 전, 내가 매일 들르는 곳이었다. 내 앞에 놓인 계산대에는 생수와 에너지바가 있었다. 그렇다. 나는 알바생의 몸에 들어왔다. 알바생의 몸은 젖은 옷감을 잔뜩 얹은 것처럼 무거웠다. 의외였다. 내가 기억하는 알바생은 가냘픈 뼈대의 20대 여성이기 때문이었다.

빨리 계산 안 하고 뭐 하냐. 3일 전 내가 뱉는 한숨이 말하고 있었다. 빨리 계산하고 싶었지만 23살 이후로 편의점 알바는 처음이라 손이 포스기 위를 헤맸다. 방황도 잠시, 6년 만에 감각이 되살아난 건지, 몸의 주인이 지닌 감각이 남은 건지 계산과 적립, 결제까지 순식간에 해치웠다. 거기서 멈췄으면 좋았으련만. 오늘도 행복한 하루가 되라는 멘트와 함께 미소를 지어버렸다. 분명 알바생이 항상 했던 말과 행동이었다. 알바생보다 말투도 딱딱했고 입꼬리도 덜 올라갔으나 평소의 나라면 절대 하지 않았을 말과 행동이었다. 이건 내가 다른 인간의 몸을 완전히 지배하는 게 아니라는 뜻이었다. 내게 주어진 3일이 예상보다 훨씬 고단하겠다는 직감이 머릿속을 마구 헤집었다.

흠— 흠—

목을 가다듬는 소리에 앞을 보니 3일 전 내가 온 얼굴로 언짢다고 말하고 있었다. 시선은 내 품에 날카롭게 꽂힌 채였다. 고개를 내리니 내 품에 들린 생수와 에너지바가 보였다. 몸은 알바생이어도 정신은 어쩔 수 없이 나였다. 전혀 죄송하지 않지만, 최대한 죄송한 얼굴로 3일 전 나에게 생수와 에너지바를 건넸다. 3일 전 나는 나를 째려보며 낚아채듯 생수와 에너지바를 가져가더니 편의점을 나섰다. 나는 3일 전 내 뒤통수를 바라봤다. 여전히 납작했다. 또 언짢아졌다. 이번에는 내 눈빛이 그 이유였다.

내 눈빛은 갓 깎은 연필 같았다. 그리기 위해서가 아니라 찌르기 위해 깎은 연필. 찔린 사람이 항의하면 칼이 아니라 연필을 들고 있었다고 반박할 것 같은 눈빛. 인정하기 싫지만 그렇게 느껴졌다. 지옥의 기준으로 저 눈빛이 문제인 걸까. 만약 그런 거라면 쫓아가서 뭐라도 말해야만 했다. 하지만 알바생의 몸은 이제 벅차도록 무거웠고, 다리가 휘청거려 내 의지와는 상관없이 의자에 앉을 수밖에 없었다. 내 눈빛이 원래 저랬나, 파고들 틈도 없이 하품이 쏟아져나왔다. 눈앞이 자꾸 깜빡거렸다.

"그래, 언니 이기적인 사람 아니야. 이타적인 사람이지. 세상 이타적이어서 하나뿐인 동생 편하게 살라고 몰래 집에서 나가지를 않나,

공부하는 데 방해될까 봐 연락 한 번을 안 했지. 배려심은 또 얼마나 깊은지 내가 먼저 연락해도 안 받더라? 언니가 이렇게 이타적인 줄 내가 미처 몰랐네.”

흐트러지는 의식 사이로 최은율의 목소리가 비집고 들어왔다. 재수 없는 소리를 밀어내려 다른 장면들을 떠올려보려고 했지만 소용없었다. 코끝에 아메리카노 향이 스치는 순간, 이미 나는 카페에서 최은율과 마주 앉아있었다. 4년 만의 만남이자 사고가 나기 2일 전의 일이었다.

재수 없는 소리를 마친 최은율의 얼굴은 개운해 보였다. 그동안 묵혀둔 속내를 꺼낸 듯. 내가 아무 말도 못 할 거라고 자신하듯. 어림도 없었다. 나는 그 얼굴에 빈틈없는 반박을 날렸다.

“그게 다야? 핵심이 빠졌잖아. ‘진짜 이기적인 인간은 나였어. 미안해’라는 말은 어디 갔냐고. 너 아직도 내가 널 버렸다고 생각하지? 난 인간의 성숙은 나이가 아니라 반성에 달렸다고 보거든? 그러니까 넌 지금도 21살이라는 뜻이지. 더 낮을 수도 있고.”

카페에서 흘러나오던 노래가 바뀌고 바뀌어 처음 흘러나온 노래로 돌아와도 최은율의 입은 열리지 않았다. 할 말이 있는 듯 우물거리기만 했다. 나 역시 입을 굳게 닫은 채 최은율을 바라봤다. 얼마나 같잖은 변명을 하려고 저러는 걸까 생각하면서. 예상과 달리 최은율은 조용히 일어서더니 카페를 나섰다. 붙잡고 싶은 마음이나 붙잡았어야 했다는 후회는 없었다. 그 마음과 후회는 내가 아닌 최은율의 몫이니까.

눈앞이 흐릿해지더니 졸음이 몰려왔다. 내가 있는 곳이 편의점인지 카페인지 모를 지경이었다. 방심한 틈을 탄 최은율의 목소리가 다시 선명하게 들려왔다.

"언니랑 있으면 숨이 턱 막혀. 어떤 손이 내 목을 움켜쥐고 조르는 것처럼. 알아. 그 손 언니라는 거. 안 그래도 자취방 알아보는 중이야."

예전에 살던 낡은 빌라가 보였다. 빌라와 빌라 사이에 난 좁은 길에서 통화하는 최은율도, 가늘게 떨리는 내 손도 보였다. 전부 최은율이 나를 버렸던 날의 장면들이었다. 그 뒤는 언제나 기억이 나지 않았다. 최은율 핸드폰을 뺏어 바닥에 던졌던가. 집에서 얘기하자며 나직이 입을 열었던가. 아님 둘 다였던가. 어느 쪽이든 결말은 하나였다. 남보다 못한 자매.

더는 떠올리고 싶지 않아 눈을 마구 비볐더니 어느새 사무실이었다. 책상에 놓인 거울에는 신입사원 한미래가 비쳤다. 하필 들어가도 한미래의 몸이라니. 한미래는 내가 생각하는 가장 한심한 부류였다. 저혈압을 순식간에 치료해 주는 기적의 일머리도 일머리지만 더 참기 힘든 건 시도 때도 없이 거울을 쳐다보는 습관이었다. 그 정도면 거울 보러 출근하는 수준이었다. 대체 이 몸으로 3일 전 나를 어떻게 바꾸라는 건지.

그렇다고 완벽한 최악은 아니었다. 한미래 몸이라서 자연스럽게 할 수 있는 일이 있었으니까. 그건 바로 거울 보는 시늉을 하거나 딴짓하면서 3일 전 나를 관찰하기였다. 3일 전 나에게 곧장 다가가지 않고 관찰부터 하는 데는 이유가 있었다.

나는 나를 아주 잘 안다고 믿었다. 편의점에서 내 눈빛을 보기 전까지는 말이다. 갓 깎은 연필 같은 눈빛을 마주했을 때 섣불리 나섰다가 일을 그르치겠다는 예감이 서늘하게 목덜미를 스쳤다. 나는 생각보다 나를 아주 잘 알지는 못했다. 죽고 나서야 내 뒤통수가 언짢을 정도로 납작하다는 사실을 알았다. 그것처럼 다른 인간의 눈을 통해야만 보이는 내 모습이 있을 것이다. 관찰은 그 모습을 찾기 위한 단계였다.

나는 3일 전 나의 말과 행동을 하나하나 빠짐없이 다 적었다. 15분밖에 안 지났는데도 A4 2장이 나에 대한 기록으로 빼곡하게 채워졌다. 다른 인간의 몸으로 언제 바뀔지 모른다는 조급함 덕분이었다.

기록을 읽으려는데 속눈썹이 들어간 것처럼 눈이 따끔거렸다. 눈을 한 번 찡그리고 나니 기록 대신 보고서가 보였다. 책상 위에 놓인 액자에는 하얀 티와 청바지 차림으로 미소 짓는 4인 가족이 있었다. 그들 중 번들거리는 얼굴을 한 서영일 대리가 보였다. 이번에는 서영일의 몸으로 들어온 것이다. 서영일은 나와 동갑이자 같은 직급이었다. 이를 제외하면 모든 면에서 나와는 상반된 인간이었다. 가장 한심한 부류는 아니었지만 아무 이유 없이 웃음을 질질 흘리거나 들을 가치도 없는 농담을 던지고 장난치는 꼴을 보고 있으면 한미래가 덜 한심하게 느껴질 때도 있었다.

최악이었지만 마찬가지로 완벽한 최악은 아니었다. 서영일만큼 한미래가 들고 있는 기록을 가져오기 쉬운 몸도 없었다. 타인의 웃음과 농담처럼 경계해야 하는 것도 없지만 대부분은 경계하기는커녕 빗장을 서슴없이 풀어버리니까.

나는 한미래에게 성큼성큼 다가갔다. 한미래는 나를 보고도 기록을 급히 숨기려고 하거나 허둥거리지 않았다. 그 모습에 머릿속이 찝찝해졌다. 자신이 쓰지 않은 게 손에 들려있는데도 태연한 건 분명 이상한 일이었다. 왜 아무렇지도 않냐고 묻고 싶었지만, 시간이 없었다. 나는 서둘러 한미래에게 농담을 건넸다.

"한미래 씨는 상사 관찰하는 게 취미인가 봐? 꼼꼼한 거 보니까 한

두 번 해본 솜씨가 아닌데? 어디 학원이라도 다녀? 아님 원데이 클래스?"

한미래의 얼굴이 서서히 굳어갔다. 뭔가 잘못됐다. 나는 보이지 않는 실로 끌어당기듯 입꼬리를 급히 올렸다. 한미래는 흔들리는 눈동자로 나를 빤히 보더니 사무실을 뛰쳐나갔다. 오히려 좋았다. 서영일의 방식이 통하지 않은 건 예상 밖이었지만. 나는 입꼬리를 바로 내리고 기록을 집어 들었다. 무슨 일이냐고 묻는 직원들을 향해 모르겠다는 표정도 지어 주었다.

서영일의 자리로 돌아와 기록을 빠른 속도로 반복해서 읽었다. 10번 정도 읽었을 때쯤 기록끼리 연결되는 지점이 보였다.

인사할 때 고개만 까딱거리는 게 꼭 목만 달랑거리는 목각인형 같음. 앞에 두꺼운 유리라도 있는 것처럼 다른 인간과 일정 간격을 두고 있음. 다른 인간과 대화할 때 목소리에 높낮이가 거의 없고 그 속도가 빨라서 같은 음만 다급하게 반복되는 피아노 같음. 목 보호대라도 찬 것처럼 앞만 보고 다님. 기름칠이 시급한 경첩처럼 걸을 때마다 관절에서 삐거덕 소리가 날 것 같음.

연결점들을 정리하자 결론이 나왔다. 결론에 따르면 난 아주 뻣뻣한 인간이었다.

나는 몸이 바뀌기 전 곤란한 일이 생기지 않도록 파쇄기에 기록을 넣었다. 기록이 여러 갈래로 흩어지는 소리를 듣다가 문득 저승사자가 말했던 조건이 떠올랐다.

지금과는 정반대의 사람이 되라는 것. 그 조건에는 성악설을 믿던 사람도 성선설을 믿도록 개과천선해야 한다는 얘기는 어디에도 없었다. 즉, 그전에는 절대 하지 않았던 말과 행동만 하더라도 충분하다는 뜻이었다. 이제는 익숙하게 눈이 감겨왔다.

'뻣뻣함의 반대말은 유연함이다'라는 문장을 머리에 단단히 새기며 눈을 떴다. 발끝에서부터 둔하고 부한 감각이 올라왔다. 거울이나 액자를 보지 않고도 알 수 있었다. 이건 김 부장의 몸이었다. 고개를 숙이니 단추가 떨어지지 않은 게 경이로울 정도로 한껏 벌어진 셔츠가 보였다. 만사가 태평한 인간다운 배라고 생각하려던 찰나, 다른 인간의 몸으로 바뀌었다. 누군지 파악할 새도 없이 눈을 깜빡일 때마다 사무실에 있는 다른 인간의 몸으로 계속 바뀌었다. 쏟아지는 어지러움에 제대로 자빠지고 나서야 겨우 멈췄다. 다들 화들짝 놀라며 나에게 달려왔다.

"과장님, 괜찮으세요?"

이번에는 박 과장의 몸이었다. 박 과장은 김 부장도 부담스러워하는 꼰대로 자존심을 세울 데라고는 회사밖에 없다는 것을 애사심과 거짓 열정으로 포장하는 인간이었다. 그러므로 3일 전 나에게 억지로 무언가 시키기에는 제격이었다. 나는 박 과장 특유의 숨넘어가는 웃음소리를 내며 김 부장에게 말했다.

"이게 다 운동 부족 때문에 그런 거 아니겠습니까? 근데 제가 볼 때는 말이죠. 요즘 젊은 친구들도 운동 부족이 심각합니다. 그러니까 자꾸 9시에 딱 맞춰서 출근하죠. 체력만 좋으면 아침에 일찍 일어나서 최소한 8시 50분까지는 자리에 앉아있지 않겠습니까? 그런 의미에서 다 같이 옆 사람하고 스트레칭 어떻습니까?"

이제는 놀랍지도 않은 기적의 논리에 김 부장은 질린 얼굴로 그러라는 손짓을 했다. 3일 전 나는 서영일과 마주한 채 서로의 어깨를 눌러주며 스트레칭을 하고 있었다. 박 과장이 시켜도 안 할 줄 알았는데 의외였다. 박 과장이 나보다 높은 직급이라는 점보다 주어진 상황을 적절하게 활용한 점이 더 잘 먹힌 걸까. 지문이 덕지덕지 묻은 안경을 닦아낸 듯 내가 어떻게 하면 좋을지 선명하게 보였다. 저승사자의 착각을 짓밟고 천국으로 걸어가는 내 모습도.

나는 한미래의 몸일 때는 3일 전 나에게 업무 관련 질문을 마구 던졌다. 못 알아듣는 척 자꾸 물어보다가 잘 안 들린다며 가까이 와달라고 부탁했다. 서영일의 몸일 때는 3일 전 나에게 셔츠에 뭐가 묻었다며 장난을 쳤다. 일정 간격 이상 다른 인간에게 다가가고 고개를 푹 숙이도록 만들 전략이었다. 그러나 3일 전 나는 성량을 높이고 고개를 더 꼿꼿하게 세울 뿐이었다. 마치 내 머릿속을 속속들이 꿰뚫은 것처럼.

눈을 떴을 때 서류를 들고 있다면 3일 전 내 앞에 서류를, 커피를 들고 있다면 커피를 엎어버렸다. 다소 유치하지만 이만큼 인간을 본능적으로 움직이게 하고 높은음을 내도록 하는 방법도 없었다. 3일 전 나는 비처럼 후드득 내리는 서류 앞에서도, 모락모락 김을 내며 덮치는 커피 앞에서도 쓸데없이 의연했다. 흔한 본능조차 없는 3일 전 나를 보고 있자니 명치 한구석이 답답해졌다.

더 유치하고도 더 확실한 방법이 필요했다. 나는 다른 직원의 몸으로 발을 헛디딘 척 3일 전 나를 다른 인간을 향해 밀쳤다. 3일 전 나는 다른 인간에게 안기기 직전 두 손가락으로 칸막이를 잡고 버티는 기적을 보여주었다. 얼마나 필사적이었는지는 손등에 볼록하게 올라온 핏줄만 봐도 알 수 있었다. 그 핏줄이 어딘지 낯설지가 않아서 낯설었다.

역시 주어진 상황보다는 직급이었다. 나는 김 부장의 몸으로 3일 전 나에게 직접적인 신호를 보내기로 했다. 김 부장의 책상에는 여러 권의 책이 있었는데 대충 읽어 보고 한 권을 골랐다. 그 책에는 반복되는 하루를 살아가는 주인공이 나왔다. 주인공은 본인이 같은 하루를 반복한다는 것을 전혀 자각하지 못하는 상태였다. 그러다 미래에서 온 자신에 의해서 그 사실을 알게 되고, 서로 힘을 합쳐 반복된 하루에서 빠져나간다는 내용이었다. 김 부장이 왜 이런 소설을 가지고 있는 건지, 내용을 알기나 하는 건지 궁금해졌다. 물론 3일 전 나에게 신호를 보내는 일보다 중요한 건 아니었기에 궁금증은 금세 사그라들었다. 나는 3일 전 나에게 책을 건네며 준비한 말을 꺼냈다.

"이 책 말이야. 내가 읽어 봤는데 최 대리도 꼭 읽어 봤으면 좋겠더라고. 책에 나온 주인공이 뭐랄까. 우리 최 대리하고 아주 닮은 구석이 있어. 성격 말고 상황이 딱 최 대리야."

"네, 개인적으로 구매해서 꼭 읽어 보도록 하겠습니다. 감사합니다."

3일 전 나는 나와 책 표지를 번갈아 보고는 기계적으로 답했다. 업무와 관련된 것이 아니라면 귀담아듣지 않겠다는 강한 의지에 간과한 사실이 떠올랐다. 내가 아무리 신호를 보내더라도 3일 전 내가 신호를 받을 생각이 없다면 전부 헛짓이라는 것을. 받고 싶지 않아도 받을 수밖에 없는 강력한 신호가 필요했다. 김 부장의 자리로 터덜터덜 돌아가는데 저 멀리 소곤거리는 소리가 귀에 꽂혔다.

"부장님 저 책 읽으라고 한 게 벌써 몇 번째더라?"

"한 네다섯 번 되지 않아?"

쾅— 하는 소리가 함께 택시가 가로수에 부딪혔을 때의 충격이 온 뼈마디에 밀려왔다. 멀찍이 내팽개친 기억들도 고스란히 밀려왔다. 밀려온 기억들은 내게 말을 건넸다. 너 똑같은 하루를 반복하고 있어.

3일 전에도 알바생은 멍한 얼굴로 생수와 에너지바를 들고 있었고, 내 바로 앞에서 서류와 커피를 엎은 직원들이 있었다. 3일 전에도, 그 전에도 김 부장은 나에게 그 책을 건넸다.

모든 것이 완벽하게 같지는 않았다. 3일 전, 박 과장은 일의 능률을 올리자는 이유로 스트레칭을 권했다. 한미래는 나에게 업무 관련 질문이 아닌 사적인 질문을 하며 가까이 와달라고 부탁했다. 또 서영일은 셔츠에 뭐가 묻었다는 장난 대신 바닥에 뭐가 떨어졌다는 장난을 쳤다. 다른 직원에게 안길 뻔했으나 그건 내가 발을 헛디뎠기 때문이었다. 이러한 디테일의 차이에도 내 행동은 크게 달라지지 않았고, 전체적인 흐름은 결국 그대로였다.

김 부장의 자리로 돌아오니 구석에 놓인 테이블 야자가 눈에 띄었다. 큰 줄기마다 작은 줄기가 뻗어있었고, 작은 줄기마다 잎이 길쭉하게 맺혀있었다. 잎들은 저마다 묘하게 다른 모양이었지만 멀리서 보면 똑같았다. 서로 다른 줄기로 향하더라도 큰 줄기에서 벗어나지 못

했고, 큰 줄기는 화분에서 벗어나지 못하는 신세였다. 나 역시 이파리에 불과했다. 다만 화분이 거대해서 화분 안에 들어있는 줄 몰랐을 뿐.

3

눈을 뜨고 있어도 감은 것만 같았다. 감고 싶어도 기어코 떠지는 눈으로 밤거리의 불빛들이 쏟아지듯 들어왔다. 눈이 부셔서 자꾸 어둠으로 시선이 향했다. 간판 하나 없는 뒷골목 구석에 웅크린 채 주저앉은 여자 실루엣이 보였다. 여자의 어깨가 작게 들썩였다. 눈이 부신 게 나았다. 힘겹게 고개를 돌리고 억지로 앞을 보며 걸었다. 핸드폰을 보니 자정이 넘었다. 나도 모르게 바라본 옷 가게 쇼윈도에는 최은율이 비쳤다. 최은율의 얼굴에서는 긴장이 흘러넘쳤다. 손이 조금씩 떨려왔다. 최은율의 긴장이 내게 전해져서인지, 2일밖에 남지 않아서인지는 알 수 없었다.

사고가 나기 일주일 전, 모르는 번호로 전화가 왔다. 받아보니 최은율이었다. 최은율은 본론부터 꺼냈다. 내가 자신의 목소리를 듣자마자 끊어버릴까 걱정한 것처럼.

"꼭 해야 할 말이 있어. 그러니까 우리 얼굴 좀 보자."
"시간, 장소 문자로 보내."

나도 본론만 말하고 끊었다. 내가 4년 전 그날을 잊지 않았음을 최은율에게 똑똑히 전하기 위해. 다른 목적도 있었다. 최은율이 드디어 나에게 사과할 거고, 살가웠던 그때로 돌아갈 거라는 기대. 그 기대로 한껏 부푼 마음을 숨기고 싶었다. 계속 말을 이어갔다면 목소리에서 티가 났을 것이다.

쉽게 부푼 마음은 쉽게 꺼졌다. 최은율은 꼭 해야 한다던 말은커녕 제대로 된 말 한마디를 하지 않았다. 내가 걱정과 반가움을 건네는 동안에도 최은율은 무감한 얼굴로 나를 바라보기만 했다. 그래 놓고 겨우 한다는 소리가 언니는 이타적인 사람이라는 얘기라니. 그것도 비아냥거리는 투로. 그렇게 나는 또다시 최은율에게 버려졌다.

손의 떨림이 어느새 멎었다. 그래, 처음부터 내 것이 아닌 긴장이었다. 카페에 들어서니 낯익은 뒤통수가 보였다. 아메리카노 대신 딸기스무디를 주문하고 2일 전 나에게 다가갔다. 비록 나는 최은율이 더는 딸기스무디를 먹지 않는다는 사실에 충격받았지만 2일 전 나는 받지 않아야만 했다. 내 기억 속에서 최은율은 아메리카노에서 담배 냄새가 난다며 인상을 찌푸리던 어린애니까. 그 어린애만이 2일 전 나를 유연하게 만들 수 있으니까.

2일 전 나와 마주 앉아도 최은율이 꼭 해야 한다던 말은 여전히 알 수 없었다. 알더라도 꺼낼 수가 없었다. 2일 전 내가 마구 던지는 문장들이 내 입을 틀어막았기 때문이었다.

"나 없다고 느슨해진 것 같다? 요즘은 제대로 된 애 만나지? 내가 했던 말은 기억해? 왜 대답이 없어? 세상에 친구 같은 건 없다고 했잖아. 제대로 된 애라도 친구는 될 수 없다고도 했잖아. 달리 부를 말이 없어서 친구라고 부르는 거지. 사전적 의미의 친구는 없어. 알아들었으면 대답해."

이상했다. 내가 최은율에게 건넨 건 분명 걱정과 반가움이었다. 그러나 가슴 깊숙이 날카롭게 박히는 문장들은 외쳤다. 그건 간섭과 구속이라고. 최은율은 말을 안 한 게 아니었다. 못한 거였다.

숨이 점점 막혀왔다. 어떤 손이 내 목을 조르는 것처럼. 그 손의 주인은 나였다. 세상이 던지는 수많은 돌로부터 최은율을 지키고 싶었을 뿐이었는데, 최은율 대신 내 손이 아프길 바랐을 뿐이었는데 어쩌다 이렇게 되었을까. 엄마가 우릴 버리지 않았다면 지금 우리는 어떤 얼굴로 서로를 바라봤을까.

내가 12살, 최은율이 7살이었을 때였다. 부스럭 소리에 눈을 뜨니 어슴푸레한 푸른빛이 감도는 새벽이었다. 살짝 열린 문틈 사이로 현관에 서 있는 엄마가 보였다. 한 손에는 커다란 가방을 들고 있었다. 그 모습은 우리 집에서는 낯선 풍경이 아니었다. 그럼에도 그날따라 현관문이 여닫히는 소리가 세상에 종말을 고하는 것처럼 들렸다. 그 세상이란 내가 알던 전부였다. 나는 내복 차림으로 엄마를 쫓아갔다. 머지않아 엄마의 뒷모습이 보였고, 흐르지도 않은 눈물을 삼키며 외쳤다.

"엄마, 이번에는 진짜로 우리 버리는 거지?"

엄마는 목도리를 벗더니 내게 다가왔다. 그리고 내 목에 목도리를 살포시 둘러주며 답했다. 여느 때처럼 단정한 목소리로.

"선율아, 엄마는 행복 찾으러 가는 거야."

묻고 싶었다. 엄마의 행복에 우린 어디에도 없는 거냐고. 묻고픈 마음을 입김에 날려 보냈다. 엄마의 행복에 우리가 정말로 없을까 봐. 어느새 엄마의 뒷모습은 점이 되었다. 우리의 행복이 되기에는 보잘것 없는 점이었다.

"계속 입 다물고 있을 거야? 그래, 할 말 없겠지. 전부 네 잘못이니까. 내가 널 얼마나 배려했는지 알기나 해? 나 때문에 숨 막힌다고 해서 편하게 살라고 집에서 나가줬고, 공부하는 데 방해될까 봐 전화도 안 해줬잖아. 대체 뭐가 문젠데? 아니, 애초에 너 숨 막히는 게 왜 내 책임인데?"

2일 전 내 입은 쉴 새 없이 날 선 문장들을 던지는 중이었다. 심장이 베이는 듯한 아픔이 퍼졌다. 숨이 턱 막히자 매서운 목소리들이 귓가에 맴돌았다.

"최선율, 전부 네 잘못이야. 네가 잘못해서 은율이도 벌 받는 거야. 할머니 말씀 잘 듣고, 나 죽었다 치고 살아. 나 이제 네 아빠 아니니까."

"야, 너 완전 웃긴다. 너 따 당하는 게 왜 내 책임이야? 네 얘기 퍼지는 게 싫었으면 처음부터 말하질 말았어야지."

내가 최은율에게 했던 말 전부 한때 아빠와 친구라고 불렀던 인간들이 내게 했던 말이었다. 잘못되어도 단단히 잘못되었다. 숨이 멎을 것만 같았다. 힘껏 입을 벌리자 묵혀둔 마음이 쏟아져나왔다.

"언니 진짜 이기적인 사람이구나. 나 배려해서 집에서 나간 거라고? 나한테 버림받을까 봐 먼저 나 버린 건 아니고? 4년 동안 전화 한 번을 안 하고, 또 안 받은 것도 내가 숨 막혔던 이유를 얘기할까 봐 그랬던 거잖아. 그냥 솔직하게 말해! 내가 언니를 떠나갈까 봐 두려웠다고! 화만 내면서 나 아프게 좀 하지 말고! 다른 사람이 날 아프게 할 거라고 착각하지 마. 나 아프게 하는 건 언니밖에 없으니까."

숨길이 서서히 트였다. 최은율이 꼭 해야 한다던 말인지, 내가 해야만 했던 말인지 헷갈렸다. 어느 쪽이든 내가 외면한 진실이라는 것만은 변함없었다. 나는 상처받고 싶지 않아서 먼저 상처를 주는 쪽을 택한 비겁한 인간이었다.

2일 전 내 입술이 가늘게 떨렸다. 거기에 미안한 기색은 없었다. 더 앉아있을 이유도 없었다. 벌떡 일어나 카페를 나섰다. 2일 전과 똑같은 장면이었다.

2일 전 내가 후회하며 나를 붙잡으려고 한다면 기꺼이 붙잡혀줄 요량으로 카페 주위를 어슬렁거렸다. 주머니에서 진동이 울렸다. 화면에는 '진이'라는 문구가 떠 있었다. 처음 보는 이름에 잠시 망설이다 전화를 받았다. 수화기 너머로 최은율의 친구로 추정되는 여자의 목소리가 들렸다.

"언니랑 얘기는 잘했냐?"
"무슨 얘기?"
"이민이지 뭐야."

최은율이 꼭 해야 한다던 말이었다. 화분에서 벗어날 수 있는 열쇠였다. 카페로 당장 돌아가서 2일 전 나에게 최은율이 이민 간다는 사실을 알려야 했다.

"아, 맞다. 아까 너네 엄마 또 왔어. 너 찾던데?"

"엄마가 최은율, 아니 날 왜 찾는데!"

"야, 우황청심환 부작용 왔냐? 아까부터 멍청한 소리…"

"엄마가 왜 날 찾는지나 말해. 스테이플러로 그 입 박아버리기 전에."

"무, 물어볼 거 있댔어…."

"뭘 물어보는데!"

"내가 그걸 어떻게 알아. 얼굴 보고 물어봐야 한댔는데. 너네 엄마 맨날 그러잖아."

"아, 맨날 그러는구나, 엄마가. 그래서 너도 맨날 그딴 식으로 말하냐? 앞으로 나한테 말조심해. 안 그러면 진짜로 박아버릴 테니까."

최은율은 언제부터 엄마와 만났던 걸까. 전화를 끊고 나자 뇌 깊숙한 곳을 바늘로 찌르는 듯한 감각이 온몸에 퍼졌다. 또 다른 내가 보내는 경고였다. 더는 걸음을 이어갈 수 없었다. 택시 안에서 핸드폰만 하던 내 모습이 보였다. 화면은 장문의 카톡들로 가득했다. 전부 엄마에게 내 회사 주소를 왜 알려줬냐며 최은율을 원망하는 내용이었다. 원망을 가장한 두려움이었다.

"선율아, 엄마 행복 찾으러 왔어."

사고 당일, 엄마는 우릴 다시 행복이라고 불렀다. 그리고는 떠나야만 했던 진짜 이유를 말해주겠다고 했다. 두려웠다. 이유가 무엇이든 간에 나는 속절없이 무너지고 말 테니까. 달렸다. 무너지지 않기 위해.

택시에 올라탔지만 두려움은 더욱 짙어졌다. 어디로 가냐는 택시 기사의 물음에 선뜻 답할 수 없었다. 내가 어디로 가든 그곳에 엄마가 날 기다리고 있을 것만 같았다. 나는 택시 기사에게 아무 데나 가달라고 답했다. 창밖 풍경이 엄마와 멀어져도 두려움은 여전했고, 택시가 가로수와 부딪히고 나서야, 내가 죽고 나서야 옅어졌다.

눈앞이 흐렸다. 나도 모르는 새 눈물이 고여 있었다. 서둘러 눈물을 닦아내는데 뭔가 이상했다. 눈이 퉁퉁 부어 있었다. 이건 종일 울지 않고서는 나올 수 없는 붓기였다. 주위를 급히 둘러보니 편의점이었다. 다시 알바생의 몸으로 들어온 것이다. 알바생의 몸은 어제보다 더 무거웠다.

2일 전 나는 계산대 위에 생수를 힘없이 내려놓았다. 나는 누구의 것인지 모를 감각으로 결제를 마쳤다. 어제처럼 멘트와 미소가 나올까 봐 걱정했지만, 다행히 그런 일은 벌어지지 않았다. 대신 다른 걱정이 생겼다. 2일 전 나는 멍하니 생수를 바라보기만 했다. 리더기에서 카드를 빼는 것도 잊은 채. 내가 최은율이 아메리카노를 먹는다는 사실에 충격받았다는 점을 고려하면 당연한 모습이었다. 그렇다고 2일 전 나를 저대로 내버려둘 수는 없었다. 나는 뜨기도 벅찬 눈을 느끼며 정적을 깼다.

"눈을 뜨고 있어도 감은 것 같을 때가 있지 않아요?"

2일 전 나는 나를 바라봤다. 끝이 조금 무뎌진 연필의 눈빛이었다. 나는 마저 말했다.

"내 눈 보여요? 잠깐 눈물 좀 고였다고 이렇게 부었더라고요. 평소보다 몇 배는 힘줬는데도 뜬 것 같지도 않고요. 그래도 힘을 더 줘야지 어쩌겠어요. 계속 나아가려면 앞을 봐야 하니까요."

아주 오래전에 쓴 편지를 뒤늦게 전달한 기분이었다. 2일 전 나는 아무 말 없이 카드를 뽑고 생수를 들더니 편의점을 나섰다. 2일 전 내가 무슨 생각을 하고 있는지 궁금하지 않았다. 그래서 어쩌라고, 하는 얼굴도 아니었지만 뭔가 깨달은 얼굴도 아니었으니까. 알바생의 이야기는 조금 궁금해졌다. 눈이 퉁퉁 붓도록 울 수밖에 없었을 그 이야기가. 어제보다 일찍 졸음이 몰려왔다. 계산대에 엎드렸더니 까만 캔버스백이 보였다. 감기는 눈 사이로 캔버스백 속 빨간 털 뭉치가 스치듯 들어왔다.

몸이 한결 가벼워졌음을 느끼자마자 눈을 떴다. 사무실 책상에 놓인 거울에 한미래가 비쳤다. 등 뒤로 높낮이 없는 목소리가 지나갔다. 돌아보지 않아도 선했다. 변함없이 뻣뻣할 2일 전 내가. 최은율이 이민 간다는 사실을 알게 되더라도 결코 유연해질 리 없는 모습이었다. 만약에, 정말 만약에 유연해지더라도 2일 전 내 입에서는 미안하다는 말은 나오지 않을 것이다. 최은율에게 가는 건 역시 나여야만 했다. 그렇다. 내 목표는 이제 지옥에 가지 않는 게 아니었다. 최은율에게 사과하기였다.

나를 드러내지 않고서 제대로 된 사과를 할 수 있을까. 최은율이 낯선 인간의 사과를 어떻게 받아들일까. 출입문으로 향하던 걸음이 어느새 느려졌다. 최은율이 사과를 거부하면 어떡하지. 이미 출국했으면 어떡하지. 한 걸음만 떼면 되는데 도저히 떼어지지 않았다. 눈이 아니라 발에 힘을 줄 차례였다. 어떤 장면이라도 기꺼이 마주하겠다는 의지로 발을 뗐다. 그렇게 사무실 밖으로 내딛자 펼쳐진 풍경은 사무실 안이었다. 이번에는 서영일의 몸이었다. 바뀌어도 하필 이 타이밍에 바뀌다니. 불평할 시간 따위 없었다. 바로 출입문을 열고 사무실 밖으로 나갔다. 하지만 다시 사무실 안이었다.

어떤 몸에 들어가든 간에, 얼마나 빨리 나가든 간에 사무실을 벗어날 수 없었다. 또다시 이파리 신세였다. 머리를 쥐어뜯는데 손에 잡히는 게 없었다. 문득 바라본 유리창에 김 부장이 비쳤다. 머리마저 마음대로 뜯지도 못한다니. 한숨이 절로 나왔다. 이런 내 모습도 저승사자가 얻는다는 즐거움 중 하나일까. 호흡이 점점 거칠어졌다.

아무래도 과거의 나로부터 일정 거리 이상 멀어질 수 없는 것 같았다. 김 부장의 자리에 앉아 A4를 수도 없이 채워봐도 2일 전 나를 최은율 앞으로 끌고 갈 방법도, 끌고 가더라도 2일 전 내가 최은율에게 제대로 된 사과를 할 가능성도 보이지 않았다. 내가 내 몸에 있었다면 간단하게 해결될 문제 가지고 쓸데없이 고민해야 한다니. 잠깐, 내가 살아있다면 내 몸에 있을 수 있는 거 아닌가. 근데 과거의 나를 살려도 되는 건가.

과거의 본인에게 정체를 밝히거나 들키지 말 것. 저승사자가 당부한 주의 사항이었다. 처음 들었을 때는 무심코 넘겼지만, 곱씹어보면 찝찝한 구석이 있었다. 바로 과거의 본인을 살려서는 안 된다는 말이 없었다는 것이다. 그것만큼 흐름을 거스르는 일도 없는데 말이다. 정체를 밝히거나 들키지 않는 선에서는 뭐든 가능하다는 걸까. 그런 거라면 왜 알려주지 않았던 걸까. 그 저승사자라면 실수보다는 내가 헤매는 꼴을 구경하려고 일부러 말하지 않았다는 쪽이 더 그럴듯했다. 실수라고 해도, 과거의 나를 살리다가 천국의 회장에게 들키더라도 상관은 없었다. 최은율에게 내 얼굴로 사과하는 나와 소멸형을 받는 저승사자, 어떤 결말이든 재미는 보장되어 있을 테니.

과거의 나를 살릴 방법은 고민할 필요도 없었다. 과거의 내가 엄마와 만나지 못하도록 하면 그만이었다. 엄마를 피하려 택시를 탄 것이었으니 말이다. 문제는 화분이었다. 과거와 다른 말과 행동에도 나는 여전히 화분 안이었다. 이대로 가다가는 엄마와의 만남은 예정대로 이루어질 게 분명했다. 고개를 돌리니 테이블 야자가 제자리를 지키고 있었다. 길쭉하게 맺힌 잎과 작은 줄기, 큰 줄기가 한데 모인 것이 꼭 엉켜버린 실타래처럼 보였다. 서로 벗어나가고 싶어 안달 났지만, 누구도 벗어나지 못하도록 붙든 모양새였다. 내게 주어진 3일도 저런 모습일까. 테이블 야자로 다가가는 순간, 눈이 스르르 감겼다.

쨍그랑—

무언가 깨지는 소리에 눈이 떠졌다. 누구의 몸인지도 모른 채 일단 김 부장의 자리로 달려갔다. 김 부장은 다른 직원들의 도움을 점잖게 거절하며 깨진 화분 조각들을 줍는 중이었다. 화분은 산산이 부서져 원래 형체를 알아보기 어려웠다. 한미래가 나에게 다가오더니 조심스럽게 입을 뗐다.

"저 과장님, 밟고 계신데요…."

무슨 소린가 싶어 고개를 숙이니 내 발밑에 테이블 야자 이파리 하나가 깔려있었다. 그래, 이거였다. 화분에서 벗어나려면 화분이 깨져야만 했다. 누구도 예측하지 못한 변수만이 나를 살릴 수 있다. 저 멀리 사무실 밖으로 나가는 2일 전 내가 보였다. 내 몸은 본능적으로 2일 전 나를 쫓아갔다. 2일 전 나는 비상구로 들어갔다. 들키지 않도록 천천히 문을 열자 나직한 한숨 소리가 들렸다. 2일 전 나는 고개를 푹 숙인 채 한층 밑 계단에 걸터앉아있었다. 화분이 깨지려면 화분을 밀쳐야만 한다. 더 잴 것도 없었다. 내 손은 이미 2일 전 내 등으로 향했다. 2일 전 내 등은 미세하게 떨리고 있었다.

"최은율, 나쁜 년. 그래, 네가 나 버릴까 봐 무서웠다."

2일 전 나는 흐느끼며 내 기억에는 없는 말을 중얼거렸다. 새로운 줄기가 뻗어 나오는 순간이었다. 물론 줄기는 화분을 벗어날 수 없었으므로 2일 전 나를 밀쳐야 한다는 결론도 변함없었다. 다만 2일 전 내가 갑자기 일어날 줄은 몰랐다. 내 손은 갈 곳을 잃고 공중에서 허우적거렸다. 원래 목적지로 가기 위해서는 약간의 희생이 따랐다. 나는 2일 전 나와 엉킨 채로 계단 아래로 굴러떨어졌다. 온 뼈마디에 박혀 오는 묵직한 통증에 눈을 뜰 수가 없었다. 이 고통이 끝나길 바라면서도 내 몸으로 돌아왔다는 신호라면 계속되기를 바랐다. 물속에 들어온 듯 귀가 또다시 먹먹해졌다. 다급한 발걸음과 무언가 외치는 목소리가 흐릿하게 들려왔다. 이내 익숙한 두드림과 함께 모든 소리가 뚝 끊겼다.

똑— 똑—

눈을 뜨자 놀라울 것도 없이 편의점이었고 1일 전 내가 서 있었다. 눈을 질끈 감았다 다시 떠봐도 모든 풍경이 그대로였다. 1일 전 내 왼팔에 깁스가 감겨있어도, 계산대에 딸기주스가 올려져 있어도 그대로 나 마찬가지였다. 정해진 결말로 기어코 흘러가고 있었으니까. 주저앉고 싶었지만 알바생의 몸이 허락하지 않았다. 알바생의 몸은 원망스러울 정도로 가뿐했다. 어찌나 가뿐한지 내 의지와는 관계없이 신속히 결제까지 마쳤다. 1일 전 나는 카드와 딸기주스를 챙기며 넌지시 물었다.

"저기⋯. 이 시간에 일하시던 분, 오늘만 안 나오시나요?"

어떤 맥락에서 나온 말인지 파악하기도 전에 입이 반사적으로 열렸다.

"어제부터 갑자기 연락이 안 돼서 내가 나온 건데. 아휴, 아무래도 아예 안 나올 것 같네요."

낯선 중년 여성의 목소리에 얼굴을 급히 더듬거리니 깊게 팬 팔자 주름이 만져졌다. 1일 전 내 눈빛이 옅게 일렁였다.

"앞으로도 안 나올 것 같다고요?"
"이런 말까진 안 하려고 했는데 차라리 잘 됐다 싶다니까요. 요즘

자꾸 지각하고, 맨날 졸고, 시킨 거 까먹기나 하고. 처음에는 애가 아주 착실했는데 뭔 일이 있는가. 아유, 내가 별소릴 다 하네. 그나저나 여기 사무실 분 같은데 어제는 안 오셨나 보네?"

"하필이면 병가를 내서요."

사고가 나기 1일 전이 아니었다. 사고 당일이었다. 뒤엉킨 기억들로 머릿속이 아득해졌다. 내가 들어와 있는 이 몸은 처음부터 알바생일 수가 없었다. 원래 흐름대로라면 사고가 나기 1일 전, 편의점에 알바생 대신 점장이 있는 걸 보고 바로 회사로 갔으니까. 1일 전 나는 나에게 가볍게 고개를 꾸벅이고는 편의점을 나섰다. 1일 전 내 뒤통수는 언제나처럼 납작했지만 더는 언짢지 않았다. 정확히는 언짢음을 느낄 수 없었다.

4

그저 눈을 감았다가 뜨는 것. 내가 할 수 있는 전부였다. 복사기에서 쉴 새 없이 나오는 프린트물, 일회용 컵에 담긴 아이스아메리카노, 키보드 위를 분주히 오가는 손가락들, 의견을 주고받는 입술들, 셔츠 소매에 묻은 빨간 얼룩. 텅 빈 가슴 사이로 사무실 풍경이 무감하게 오갔다.

누구의 몸에 들어왔는지, 주어진 상황이 무엇인지 궁금하지 않았다. 어차피 내가 바꿀 수 없는 이야기이니까. 이 이야기는 어디서부터 시작된 걸까. 눈을 감고 숨을 깊게 들이마시자 장면 하나가 천천히 밀려왔다. 그 장면에는 함께 라디오를 듣던 7살의 나와 엄마가 있었다.

"선율아, 엄마가 선율이를 왜 선율이라고 지었게?"

"음, 모르겠는데….."

"지금 나오는 노래 들리지? 이 노래를 흐르게 해주는 게 선율이야."

"어? 내 이름이랑 똑같다!"

"맞아, 우리 선율이도 흐르고 흘러서 이 세상과 사이좋게 어우러져서 살아가라고 엄마가 그렇게 지은 거야."

"그렇구나. 근데 어우러지는 게 뭐지?"

그때 들었던 음악도, 엄마의 답도 이제는 너무 멀어서 들리지 않았다. 나긋한 듯 경쾌한 엄마의 웃음소리와 엄마가 웃으니 마냥 좋다며 방실거리던 내 모습만이 언제나 가까웠다. 숨을 길게 내쉬자 장면은 밀려났다.

아직도 나는 어우러진다는 게 무엇인지 몰랐다. 그러나 내게 주어진 생을, 얼마 남지 않은 시간을 이대로 보내면 안 된다는 것만은 알았다.

사무실 풍경은 다시 반복되었다. 나는 프린트물을 가지런히 모아

스테이플러로 찍었다. 아이스아메리카노를 음미하며 얼음을 아작아작 씹어먹었다. 키보드에서 벗어나 책상 위에 어지러이 놓인 서류들을 정리했다. 굳게 닫은 입술을 열어 의견을 꺼냈다. 누구의 몸인지 파악할 겨를은 없었다. 매 순간에 머물 뿐이었다.

눈앞에 다시 빨간 얼룩이 묻은 셔츠 소매가 나타났다. 화장실 세면대에서 물을 묻혀가며 얼룩을 문지르는데 손가락이 쓰라렸다. 손가락은 여기저기 베인 상처로 가득했다. 고개를 드니 거울에 김 부장이 비쳤다. 아마 김 부장은 깨진 화분을 치우다가 다친 듯했다. 화분이 깨진 건 내가 테이블 야자에 다가가는 도중에 몸이 갑자기 바뀌었기 때문이었을까.

물기를 대충 말리고 김 부장의 자리로 돌아왔다. 책상에서 3일 전 나에게 신호로 건네주려던 책을 꺼내 읽었다. 저번에 건성으로 훑느라 놓친 부분이 보였다. 주인공은 미래의 자신과 힘을 합쳤던 게 아니었다. 주인공이 반복된 하루에서 빠져나올 수 있었던 이유는 미래의 자신이 인식하지 못한 진실을 깨달아서였다. 마지막 장까지 진실이 무엇인지는 나오지 않았다. 대신 메모지가 붙여져 있었다. 메모지에는 정갈한 글씨체로 이렇게 적혀있었다.

변화의 기회는 매일 그리고 매 순간 찾아온다.
그 기회를 놓치거나 스스로 놓아버린다면

평생 똑같은 하루를 반복하며 살아가는 것과 같다.

다른 책들에도 메모지가 있었다. 큰아이가 또 병원에 입원했다는 짧은 일기와 건강하게 낳아주지 못했다는 자책, 그럼에도 오늘을 살아가야 한다는 다짐 등 메모지는 전혀 예상치 못한 내용으로 빼곡했다. 고개를 숙여 김 부장의 배를 바라봤다. 단추가 셔츠 끝에 간신히 매달려 있었다. 벼랑 끝에서 악착같이 버티는 모습처럼 보여 어딘가 아릿해졌다.

새 화분에 담긴 테이블 야자를 바라보았다. 이파리 하나 줄기 하나 놓치지 않고 단단히 시선에 붙잡은 채. 큰 줄기는 작은 줄기를, 작은 줄기는 길쭉하게 맺힌 잎을 지탱하고 있었다. 길쭉하게 맺힌 잎은 작은 줄기에게, 작은 줄기는 큰 줄기에게 스스로가 존재하는 이유가 되어주었다. 이들은 엉켜버린 실타래가 아닌 하나의 공동체였다. 일어나 사무실을 둘러봤다. 모두 제자리를 지키고 또 서로에게 다가가기도 하면서 어우러지고 있었다.

눈을 뜨고 있어도 보이지 않던 것들이 보이기 시작했다. 일머리도 없는 주제에 거울만 쳐다보는 한심한 인간이 아닌 심한 아토피로 인해 사회 불안 장애를 앓는 사람이 보였다. 아무 이유 없이 웃고 장난치는 귀찮은 인간이 아닌 회사 적응에 어려움을 겪는 신입사원을 배려하는 사람이 보였다. 애사심과 거짓 열정으로 무장한 꼰대가 아닌 깁

스한 다리를 끌고 와서라도 맡은 일에 책임지겠다는 사람이 보였다. 절대 변하지 않을 것만 같았던 인간이 아닌 점차 변하고 있는 사람도 보였다.

사고 30분 전 나는 퇴근하려다 말고 박 과장에게 다가가 말을 건넸다. 박 과장은 숨넘어가는 웃음소리를 내며 답했다. 민망함을 감추려는 듯 웃음소리는 평소보다 더 컸다. 나는 다른 직원의 몸에 들어온 상태였고, 그 직원이 사고 30분 전 나와 멀리 떨어져 있었기에 둘이 무슨 대화를 나누는지 들을 수 없었다. 달려가면 들을 수 있었겠지만 내 다리는 가만히 서 있기만 했다. 살포시 올라간, 사고 30분 전 내 입꼬리를 보느라.

그동안 나를 방해했던 건 과거의 나였다. 수많은 변화의 기회를 과거의 나는 놓치고 놓아버리기만 했다. 그런 과거의 나에게 나는 단언했다. 넌 절대로 달라지지 않으리라고, 달라지더라도 결말은 달라지지 않으리라고. 이야기의 마지막 장에 다다라서야 나는 모두 착각이었음을 깨달았다. 과거의 내 손은 미약하게나마 변화의 기회를 붙잡고 있었고, 끝내 입꼬리를 올렸다. 보이지 않는 실로 끌어당기지 않은, 미소라고 부를 수 움직임이었다. 나를 방해했던 건 처음부터 나뿐이었다.

눈을 서둘러 감았다. 바람에 머리가 살랑였다. 주변이 시끌벅적해졌다. 눈을 뜨자 회사 근처였다. 핸드폰을 보니 사고가 나기 15분 전이었다. 사고 15분 전 나를 찾으려는데 걸음을 뗄 때마다 젖은 옷감이 하나씩 얹어지는 것처럼 몸이 점점 무거워졌다. 혹시 하며 든 머리카락은 샛노랬다. 사고 15분 전 나는 회사 건물 입구에서 나와 정류장쪽으로 걸어가고 있었다. 그 뒤를 엄마가 종종걸음으로 따라가고 있었다. 왜 엄마가 아니라 알바생의 몸으로 들어온 걸까. 혼란스러울 틈도 없이 눈을 감고 뜨자 눈앞에 사고 15분 전 내 뒷모습이 보였다. 이제야 엄마의 몸이었다. 나에게 반사적으로 나아가려는 걸음을 힘을 주어 멈췄다. 이대로 사고 15분 전 나를 보내준다면 나는, 아니 우리는 살 수 있을까. 택시에 타지 않는 것만이 우리가 사는 길일까. 엄마는 나를 어떤 마음으로 불렀던 걸까. 차오르는 질문들로 목구멍이 뜨겁게 꿀렁였다. 그럼에도 입은 쉽사리 열리지 않았다. 입을 여는 순간, 사고 15분 전 내가 도망쳐 택시에 올라탈 것만 같았다.

사고 15분 전 나는 아직 도망치지도, 택시에 올라타지도 않았다. 오직 내 머릿속에서만 벌어진 일이었다. 그러니 더는 내 방해물이 되어서는 안 된다. 결말을 바꾸기 위해서는 변화한 나를 믿어줘야만 한다. 나는 사고 15분 전 나를 향해 외쳤다.

"선율아, 엄마 행복 찾으러 왔어!"

이제는 사고 나기 몇 분 전인지도 모를 내가 멈칫했다. 가쁜 숨을 내

쉬며 오르락내리락하는 어깨 위로 뒤통수가 보였다. 힘없이 축 늘어진 모양에 나도 모르게 미끄러지듯 말이 나왔다.

"엄마가…. 내가…. 내가 미안해. 내 상처에 파묻혀 사느라 너 문드러져 가는 것도 몰라줘서. 그리고…"

사고 나기 몇 분 전인지도 모를 내가 어느새 다가와 나를 꼭 껴안고 있었다. 나는 나를 껴안은 등을 쓰다듬었다. 맞닿은 살결이 땀과 습기로 점점 끈적해졌고 바람은 멈췄지만, 마음만은 가뜬해졌다.

"선율아, 꼭 해야 하는 말이 있는데…"

엄마의 목소리였다. 내 입에서 나온 소리는 아니었다. 급히 몸을 떼어보니 내 앞에 엄마가 있었다. 내 왼팔에는 깁스가 감겨있었다. 내 몸으로 돌아온 것이었다. 믿기지 않아 두 손으로 얼굴을 감싸자 익숙한 굴곡이 느껴졌다. 엄마는 한숨을 내쉬고는 말을 이어갔다.

"너희를 떠날 수밖에 없었던 진짜 이유야. 듣고 싶지 않으면 말 안 할게."

원래 흐름에서 나는 뒷부분을 듣지 않고 무작정 도망쳤다. 엄마가 곧바로 이유를 털어놓을 것이고, 그러면 나 역시 곧바로 무너질 거라는 두려움을 끌어안은 채. 듣고 싶지 않으면 말하지 않겠다는 조건이 붙었어도 두려움은 내 품에서 벗어나지 않았다. 오히려 더 내게로 파고들었다. 엄마는 내가 원하는 쪽이 어디든 받아들이겠다는 듯 결연한 눈빛이었다. 이 눈빛에도 듣고 싶지 않다고 한다면 도망치는 거나 다름없었다. 나는 엄마의 눈을 똑바로 바라보며 답했다.

"아니, 무슨 일이 있어도 들을래. 엄마가 어떤 말을 하더라도 다 들어줄게."

엄마는 아쉬운 미소를 지으며 말했다.

"또 도망갈 줄 알았는데 의외군요? 아, 생각해 보니 그리 의외는 아니군요. 예측대로 가는가 싶다가도 한 번씩 예측을 완전히 벗어나 주셨으니 말입니다. 덕분에 내내 즐거웠습니다만 전 더 신선한 것을 원합니다."

엄마의 목소리였지만 엄마가 아니었다. 공손한 듯 어딘지 삐딱한 말투. 저승사자였다. 잠깐, 저승사자가 엄마의 몸에 들어왔다면 엄마는 어디 있는 거지?

"어머니는 잘 계시니까 걱정은 안 하셔도 됩니다. 다른 인간 몸에 수없이 드나들면서 이 정도는 괜찮다는 건 잘 알고 계시잖습니까. 어차피 저도 산 사람 몸에는 오래 머물지도 못하고요. 그러니 핵심만 말씀드리겠습니다. 택시에 승객이 없다고 해서 택시에 사람이 뛰어드는 일도 없을…"

1분 미리 듣기처럼 저승사자의 말이 뚝 끊겼다. 다시 연결될까 싶어 엄마의 몸을 흔들었지만 어지러워하는 엄마만이 있었다. 엄마가 왜 그러냐며 당황했기에 나는 이유를 알려달라고 보채며 엄마 옷자락을 잡고 흔드는 어린애가 되어야만 했다.

엄마와 나란히 벤치에 앉았다. 엄마가 이야기를 시작했지만, 몇 문장만이 귓가를 스치다 말뿐이었다. 택시에 승객이 없다고 해서 택시에 사람이 뛰어드는 일도 없을… 그다음이 대체 뭘까. 뭘 얘기하려고 했던 걸까. 엄마는 나를 보며 잠시 망설이다가 조심스럽게 물었다.

"내복 바람으로 나 쫓아온 날 기억해? 그때 목도리 둘러줬잖아."

'목도리'라는 단어가 뇌리에 콕 박혔다. 택시 와이퍼에 낀 빨간 목도리가 떠올랐다. 사고 당시에는 와이퍼에 목도리가 왜 끼어있는지 알 수가 없었다. 그러나 누군가 택시 앞에 뛰어들었고, 그 누군가의 목도리가 와이퍼에 끼었다고 한다면 충분히 설득력 있었다. 택시 기사가 갑자기 핸들을 꺾은 이유가 누군가를 피하기 위함이었다면 더욱. 여름인데 목도리. 그것도 빨간색. 문득 알바생의 가방에 들어있던 빨간 털 뭉치가 번뜩였다. 택시 앞에 뛰어든 사람은 알바생이었을까. 그걸 따질 때가 아니었다. 저승사자가 하려던 말은 내가 택시를 타지 않아도 사고가 일어난다는 얘기였으니까.

"나 엄마한테서 도망치는 거 절대 아니야! 잠깐 사람 좀 구하고 올게! 기다려줘!"

나는 엄마에게 가방을 맡기고는 벌떡 일어나 알바생이 사라진 방향으로 달렸다. 엄마는 그게 무슨 소리냐며 내 가방을 들고 따라왔다. 왼팔이 쿡쿡 쑤셔 왔다. 저승사자는 정말 저승사자가 맞을까. 혹시 악마는 아닐까. 여태 든 적 없던 의문이 스멀스멀 기어 올라왔다. 깁스 팔걸이가 거추장스러웠다. 팔걸이를 의문과 함께 집어 던졌다. 숨이 점점 차올랐다. 알바생과 택시 기사를 구하라는 말이 없었는데 나는 왜 그들을 향해 필사적으로 달려가는 걸까. 숨이 턱 끝까지 차올랐다. 내 뒤통수는 지금 어떤 모양일까. 무엇도 확실하게 답할 수 없었다.

내 걸음이 어디로 가는지는 확실하게 답할 수 있었다. 저 멀리 검은 머리들 사이로 샛노란 머리 하나가 눈에 띄었다. 광활한 밤하늘을 안내하는 유일한 별빛처럼 보였다. 나는 별빛을 향해 달려갔다.

작가가 되기로 했다.

김재관

김재관   누구나 작가가 될 수 있다는 것. 그 사실 하나만으로도 나의 이야기를
하기에는 충분했다.
"당장 내일 마지막 순간이 온다면? 영원히 살 것 같지만 영원한 것은
없다.
그래서 나는 기록을 남기고 싶었다."

인스타그램: @jaegwankim

프롤로그

창백한 푸른 점 (Pale Blue Dot)

"창백한 푸른 점"이란 보이저 1호가 찍은 우주에서 본 지구의 모습을 말한다. 그 사진을 보고 있으면 인간의 일생이란 허무한 것이 아닐까? 하는 생각이 든다. 칼 세이건은 "창백한 푸른 점"에서 사진에 대한 소감을 다음과 같이 기록했다.

"인류의 역사 속에 존재한 자신만만했던 수천 개의 종교와 이데올로기, 경제체제가, 수렵과 채집을 했던 모든 사람, 모든 영웅과 비겁자들이, 문명을 일으킨 사람들과 그런 문명을 파괴한 사람들, 왕과 미천한 농부들이, 사랑에 빠진 젊은 남녀들, 엄마와 아빠들, 그리고 꿈 많던 아이들이, 발명가와 탐험가, 윤리와 도덕을 가르친 선생님과 부패한 정치인들이, "슈퍼스타"나 "위대한 영도자"로 불리던 사람들이,

성자나 죄인들이 모두 바로 태양 빛에 걸려있는 저 먼지 같은 작은 점 위에서 살았습니다."

칼 세이건이 말한 것처럼 우리는 우주라는 곳에서 보면 먼지 같은 작은 점에 불과하다. 그런 사실을 보고 있자면 인생의 희로애락도 너무나 허무한 것이다. 부정적인 생각보다는 긍정적인 생각을 가지고 살기에도 부족한 것이다.

나는 항상 생각한다.
한 치 앞도 모를 인생에서 내가 어떤 것을 남길 수 있을까?
어떤 것을 할 수 있을까?
당장 내일 마지막 순간이 온다면?
영원히 살 것 같지만 영원한 것은 없다.

그래서 나는 기록을 남기고 싶었다.
유한한 인생에서 하나의 기록이라도 남아 있다면
나를 기억할 수 있는 무언가가 남겨져 있다면 좋겠다는 생각으로
글을 쓰기 시작했다.
그래서
꼭 남기고 싶은 말은?
사랑하는 아버지, 어머니, 누나, 강아지 (마루, 민수), 지영이
항상 감사하고, 사랑한다고 말하고 싶다.

독기

"건강, 성실, 노력, 발전"이라는 글자를 교수는 마지막 수업의 주제로 칠판에 쓰고 있었다. 건강 악화로 병원에 입원하고 돌아왔던 교수는 병원에서 깨달은 사실을 이야기했다.

"인생에서 건강이 제일 중요하다. 아프니깐 아무 소용 없어." 그리고 교수는 자신이 쓴 칠판의 글씨를 가리키며 말했다.

"여러분 성실하게 노력한다면, 반드시 발전한다. 그 사실을 내가 잘못 생각을 하고 있었어." 아무것도 모르는 어떤 제자들은 경청했다. 하지만 그때의 나는 그 의미를 깨닫고 있었다. 모두를 위한 이야기가 아닌 나에게 하는 이야기였다.

마지막 학기에 교수랑 나는 단둘이 면담을 한 적이 있었다.

"하고 싶은 일이 있나? 내가 추천해 주고 싶은데…" 자기가 아는 회사에 나를 넣어준다고 이야기했다. 그러곤 내가 좋은 회사에 취직이 어려울 거니 추천을 해준다고 했다. 물론 나쁜 감정을 가지고 이야기한 것은 아니었다. 지극히 현실적인 이야기였고, 어떻게 보면 감사한 이야기였다.

하지만 나는 거절을 했다. "교수님, 저는 노력하고 있습니다."

교수는 안타까운 표정과 함께 내 노력을 인정하지 않았다. 교수는 몰랐겠지만, 나는 매일매일 성공을 향해 노력하고 있었다.

나는 유능한 사람이 아니었다. 하고 싶은 것을 하려고 하면, 잘된 적이 없었다. 그렇게 성공에 대한 경험이 없었기 때문에 어떻게 해야 하는지 몰랐다. 그렇게 계속된 실패를 하다 보니, 위축 되어 갔다. 어떤 사람은 운이 없어서 그렇다고 했고, 어떤 사람은 나를 무시했다. 일찍이 성공을 맛본 친구들은 자랑하기에 바빴고, 나는 열등감에 점차 나 자신을 빼앗기고 있었다. 그래서 벗어나고 싶었다. 그래서 매일매일 작은 하나의 성공을 위해 노력했다. 이뤄내고 싶었다.

이어폰 하나에 나를 맡긴 채 도서관을 향해 걷고 있었다. 꽃이 피고, 낙엽이 지고 함박눈이 내렸다. 그때마다 내 이어폰 속에는 "독기"라는 노래가 반복적으로 흘러나왔다. 수백 번의 노래가 재생되고 마음이 차가워질 때쯤 도서관에서 나왔다.

시계 초침이 들릴 만큼 긴장된 순간은 내 인생에서 처음이었다.
"최종 합격" 처음으로 나는 내가 원했던 목표를 이루게 되었다.
물론 어느 사람한테는 내가 이룬 성공이 별거 아닌 성공일 수도 있다.
하지만 나한테 있어서의 첫 성공은 모든 과정에 대한 보상이었다.
첫 성공의 경험 이후 내 인생은 바뀌었다. 그때의 경험으로 지금까지 어떤 일을 하든 항상 노력했다.

첫 성공의 경험들이 중요하다. 헛된 노력은 없고, 반드시 노력한 만큼 결과는 따라온다.

　지금도 성공을 위해 노력하고 있는 이들에게 말하고 싶다.

　"홀로 행하고 게으르지 말며, 비난과 칭찬에도 흔들리지 말라.

　소리에 놀라지 않는 사자처럼, 그물에 걸리지 않는 바람처럼, 진흙에 더럽히지 않는 연꽃처럼 무소의 뿔처럼 혼자서 가라.

　-법정 〈숫타니파타〉-

쓸쓸하고 찬란하신 도깨비

"누구에게 인생이건 신이 머물다 간 순간이 있다. 당신이 세상에서 멀어지고 있을 때 누군가 세상 쪽으로 등을 떠밀어 주었다면, 그건 신이 당신 곁에 머물다 간 순간이다." tvN 드라마 도깨비라는 드라마의 명대사 중 하나이다. 지난겨울 나는 정말 힘든 하루하루를 보냈다. 하고자 했던 일은 잘 안되고, 어렵게 들어간 회사에서도 힘들었다. 하는 일이 잘 안되는 시기가 있는데 그게 지난 겨울이었다. 포기하려고 하는 순간마다 나에게는 유일한 신이 찾아왔다. 내가 힘들 때마다 찾아오는 그 신은 말 없이 나에게 하나의 영상을 보여주었는데 도깨비라는 드라마의 명대사가 나온 영상이었다.

너라는 신, 2019년 6월 30일 처음으로 나는 나의 신을 만났다. 회사 선배의 소개로 시작된 만남이었다.

"좋은 사람 있으니깐 소개받아 볼래?"라고 하는 선배의 말에 나는 처음에는 거절했다. 왜 그런지 몰라도 잘 안되면 회사에서 그 선배랑 서로 불편할 것 같아서였다.

"한번 만나봐, 걱정하지 말고"

내 생각을 읽었는지 선배는 다시 한번 권유를 해주었다.

그렇게 시작되었다.

그녀와의 첫 만남을 기억해 보면 우리는 작은 맥줏집에서 맥주를 먹으면서 처음 만남을 가졌다. 그녀는 내가 만난 사람 중에 세상 밝은 사람이었다. 차가운 맥주와 함께 따뜻한 시선을 나누었다. 그녀의 말을 듣고, 또 나의 이야기를 하고 서로 다름으로 만나 같아지는 순간이 찾아온 듯했다.

지금 생각해 보면 나는 어두운 시선을 가진 사람이었다. 그래서 지금까지 그녀에게 많은 위로를 받았다. 내가 받은 것에 비해 돌려준 것이 많지 않은 것 같다. 그녀는 항상 못난 나에게 먼저 손을 내밀어 주는 사람이었다.

"2024년도 고생 많았어!! 기안84 대상 소감이 인상 깊어서 원래 네 잎클로버는 세 잎 클로버인데 세 잎 클로버에 상처가 난 후 새로운 잎이 나서 행운이라는 네잎클로버가 된 거래
힘들었던 23년이 자나 24년에는 행운과 희망이 가득한 한 해가 되기를 바라며 열심히 합시다"
이런 이야기를 해주는 누군가가 있다는 것만 해도, 너무 감사한 일인 것 같다.

하루 끝에서, 침대에 누워서 살아 있다는 것에, 이런 이야기를 해주는 사람이 있다는 것에 사소한 것에 감사한 마음이 든다. 누구에게나 소중한 사람이 있을 것이다. 연인이 되었든, 부모님이 되었든, 친구가 되었든 한번 그런 사람에게 감사하다고, 사랑한다고 이야기를 해보는

것도 나쁘지 않을 것 같다.

물의 여신

"왼쪽, 오른쪽" 물살을 지휘하는 파란 눈의 여인이 물을 다루는 여신으로 보인 적이 있는가? 몇 년 전 나는 8년간의 회사 생활을 접고, 퇴사했다. 그리고 정말 가보고 싶은 미국 캐나다행 티켓을 끊었다. 어떤 사람은 미쳤다고 했다. 준비 없는 퇴사는 독이라고 걱정했다. 물론 나도 그렇게 생각한다. 돈을 버는 것은 현실이니깐.

어렵게 떠난 미국 캐나다에서 나는 정반대의 삶을 보게 되었다. 어떤 일이든 만족하는 삶이랄까? 그때 만난 파란 눈의 여인은 보트를 움직이는 일을 했다. 단순한 노동이라고 보일 수도 있는 일인데, 정말 즐거워하는 모습이 보였다. 그 얼굴은 이쁘기보다는 정말 아름답다는 생각이 들 정도로 그 일에 만족하고 있었다. 그 얼굴을 멍하니 보고 있으니, 여신이라는 생각이 들었다. 무언가를 보고 여신이라는 표현을 감히 쓸 수 있을까? 그에 비해 나는 정말 만족을 모르고 살았다는 것이다. 바쁘게 살았다. 경쟁사회에서 살아남기 위해 자기 계발을 하고, 자격증을 취득하고, 공부했다. 누구는 학교만 졸업하면 공부가 끝이라고 했는데, 아니었다. 사회에서도 공부는 해야 했다. 그리고 욕심이 많고, 하고 싶은 것도 많아서 끊임없이 무언가를 했다. 그래도 채워지지 않았다. 또 술이 몸에 맞지 않아 평소에 술을 안 먹는데도 하기 싫은 술자리에도 참석해서 눈도장을 찍었다. 누구나 그렇게 회사에 다니고 사회생활을 한다고는 하지만 무언가 크게 빠진 느낌이었다. 회사에서 인정받기 위해 병원에서 수액을 맞으면서 밤늦게까지 야근하고 주말 근무도 했다.

나도 모르는 사이에 인상이 변하고, 욕심에 가득 찬 사람이 되어 있었다. 물론 열심히 살았다는 증거는 될 수 있지만 정말 인생을 잘 살았다고 할 수 없을 것이다. 그 이후에 나는 정말 내면의 내가 하고 싶은 일을 하고 살자는 생각을 많이 한다. 시간이 지난 지금도 미국과 캐나다에서의 경험을 생각한다. 물론 지금도 만족하는 삶과 현실의 삶 그 사이에서 줄다리기하는 건지 모르겠다. 만약에 부단하게 바쁘게 욕심내면서 살아가고 있다면 한 번쯤은 내면에서 원하는 일을 찾아보길 권한다.

"메멘토 모리" 누구나 죽는다는 것을 잊지 말자. 마치 우리는 영원히 살 것처럼 오늘을 살지만, 오늘이, 지금이 마지막일 수도 있다는 것을 기억하자. 어차피 나도 당신도 한 번뿐인 인생을 살아간다면 내가 진정으로 만족하는 삶을 살아보자고 말하고 싶다.

비트코인

"비트코인은 블록체인 기술을 기반으로 만들어진 온라인 암호화폐
이다. 비트코인의 화폐 단위는 BTC로 표시한다. 2008년 10월 나카
모토 사토시라는 가명을 쓰는 프로그래머가 개발하여, 2009년 1월
프로그램 소스를 배포했다." 〈위키백과〉

2017년 비트코인 열풍은 어마어마했다. 나도 그 속에 있었다. 나
는 세상에 돈을 모으는 것은 적금밖에 몰랐던 사람이었다. 왜 그랬을
까? 생각해 보면 어릴 때부터 주식, 경마, 경륜을 하나로 묶어 도박하
지 말라고 하는 어른들의 이야기에 나도 모르게 세뇌되었는지 모르겠
다. 친구의 권유로 시작된 코인 투자는 내 인생을 바꿔놨다. 물론 시작
은 좋지 않았다.

"미친 듯이 올랐다." 얼굴이 붉어지고, 심장이 뛰었다. 눈을 감았다.
낮과 밤이 바뀌었다.

차트는 미친 듯이 요동쳤다. 수천만 원을 벌었다. 몇 년간 고생하며
모았던 돈을 그렇게 쉽게 벌다니, 쉬워도 너무 쉬웠다. 하지만 세상에
쉬운 일은 없다고 하지 않던가? 나는 투자에 대한 경험이 부족했다.
충분히 알아보지 않고, 투자를 하고 있었다.

결국 팔아야 할 때 팔지 못했다. 그리고 욕심이 불러온 결과는 참담

했다. 결국 나는 회사 생활 동안 모은 3년간의 돈을 전부 잃었다. 그 이후 나는 돈과 투자 그리고 경제관념에 대해 많이 고민하게 되었다. 어떤 점이 문제였을까? 생각해 보면 남들이 좋다고 하는 것에 빠졌던 것이 문제였다고 생각한다. 그래서 한 가지 확실한 건 주변의 이야기에 흔들리지 말라는 것이다. 투자는 본인의 확신이 중요하다고 생각한다.

그래서 나는 확신을 얻기 위해 매일 아침에 눈을 뜨면 경제신문부터 보면서 하루를 시작했다. 그리고 어떤 종목이 트렌드일지 고민을 했다. 그렇게 틈틈이 공부했던 시간이 5년간 이어졌다. 그 결과 잃었던 모든 돈을 다시 복구했고, 주식과 코인에서 큰 수익률을 얻었다. 어떤 투자든지 자신의 확신을 위해 노력하라고 이야기하고 싶다.

"당신이 이해하지 못하는 것에 투자하지 마라."

-워렌 버핏-

발표

　나는 사람들 앞에서 이야기하는 것에 두려움이 많았다. 일종의 트라우마라고 해야 할까? 처음으로 회사에 다니면서 큰 회의에 참석해서 발표해야 하는 경우가 많이 있었다. 그때 나는 너무 어렸고, 회사 동료들의 경쟁 때문에 도움도 받지 못했다. 그때 큰 실수를 많이 했다. 버벅거리던 안 좋은 기억 때문에 언제나 사람들 앞에서 이야기하는 것에 두려움이 많았다

　그렇게 시작된 나의 첫 직장생활은 순탄치 않았다. 야근을 밥 먹듯이 하고, 경쟁도 심했다. 특히 타지에 생활하다 보니 일종의 향수병 같은 경험도 많이 했었다. 가장 힘들었던 건 매주 회의 때 발표해야 했는데, 계속된 실수에서 자신감을 잃었다.

　"다음은 김재관 씨 발표하세요." 그때의 나는 발표를 어떻게 해야 하는지 몰랐고, 준비도 안 되었다. 그렇게 시작된 나의 발표는 항상 실패했다. 결국엔 트라우마로 자리 잡았다. 무언가를 나에게 물어보고 집중이 되면 손발이 떨리고 머릿속이 하얗게 되었다. 도망치고 싶었다. 그리고 실제로 도망쳤다. 하지만 트라우마에 갇혀 힘든 시간을 보내다가 문득 나는 이렇게 생각했다. 그냥 이렇게 끝내기에는 너무 아쉽지 않은가? 라는 생각이었다.

　발표란 무엇인가? 그렇게 반복적인 실수 속에서의 깨달음은 발표는

준비가 전부라는 사실이었다. 발표 관련 강의, 영상도 여러 개 보고 책도 여러 권 읽었다. 하지만 근본적인 것은 자신의 자신감이 필수였다. 그렇게 하려면 100번 넘는 시뮬레이션을 해야 한다는 것이다. 100번의 발표를 연습해 본 적이 있는가? 발표를 잘하려면 100번만 연습하라고 이야기하고 싶다.

어느 쇼 프로그램에서 대학교에 입학해서 처음 자기소개를 하는 것이 두려워서 휴학했다는 이야기를 듣고 웃음이 터졌다. 물론 내가 웃을 자격이 있는 건 아니었지만, 그 쇼프로그램에서 나온 이야기를 듣고 용기를 얻었다. "저 사람보다는, 내가 더 낫다"라는 생각이었다. 나는 다시 한번 용기를 내서 준비했다. 그렇게 연습하고 나는 발표에 대한 트라우마를 극복했다.

한번 해낸 한 번의 경험이 중요하다고 하지 않던가 그 이후 극심한 떨림은 사라지게 되었다. 물론 100번을 해도 발표는 떨린다. 하지만 듣는 이는 모른다. 그리고 발표하거나 면접을 준비하거나 하는 모든 과정은 똑같다. "연습만이 살길이다." 지금도 많은 사람들이 발표 울렁증을 겪고 있다면 100번만 연습하고 시뮬레이션해 보라고 그럼 극복할 수 있다고 말해 주고 싶다.

글에고

"작가는 사물을 관찰하고 글로써 그림을 그리는 사람이다"라고 이야기를 듣자마자 머리가 띵하고 울렸다. 내가 작가가 되어 누군가에게 나의 이야기를 전달하면 독자는 그 이야기를 머릿속에 그리는 것이 아닌가? 얼마나 멋진 일인가?

나는 어릴 때부터 글쓰기에 흥미가 많았던 건 아니었다. 누군가에게 평가받을 일이 없어서였을까? 하지만 한 번쯤은 나에 대한 흔적을 세상에 남기고 싶었다. 그 수단에는 여러 가지가 있겠지만 나는 글쓰기를 선택했다. 자아실현이라는 목표와 누구나 작가가 될 수 있다는 희망이 눈에 띄었다. 잘 쓰는 글을 당장에 못 쓸지라도 시작이 반이라는 말이 있듯이 도전하고 싶었다. 그래서 작년부터 글쓰기를 통해 나만의 책을 출간하고 싶다고 생각했다. 바쁘다는 핑계로 차일피일 미루기를 1년, 그러다가 알아보기 위해 시작했다. 주 1회, 6주로 글쓰기를 배우고, 출간까지 경험할 수 있다는 것에 흥미가 생겨 결제했다. 그리고 첫 수업 이후 선택을 잘했다고 생각했다. 사람들과 만나서 글쓰기에 대해 고민하고, 또 과제를 통해 내가 흐트러지지 않게 잡아주는 것이 만족스러웠다.

나의 목표는 앞으로 일상에서 자주 기록해 놓는 습관을 기르는 것이다. 그런 기록이 글감이 되어 다시 글을 쓰고 언젠가 단독으로 책을 출간하고 싶다. 그래서 그런지 수업에서 알려주시는 내용이 머릿속에 박히는 기분이다. 무언가 하고 싶다면 일단 하라고 말하고 싶다. 앞으로의 인생이 어떻게 될지 누가 알겠는가? 한 치 앞도 모르는 게 인생이지 않은가? 모 회사의 회장님은 이야기했다.

"해봤어? 해봤냐고" 일단 해보자 도전하자

그리고 아니면 안 하면 되지

해보지도 않고, 이야기만 하는 그런 사람은 되지 말자.

에필로그

기억의 습작

"많은 날이 지나고 나의 마음 지쳐갈 때,
내 마음속으로 쓰러져가는 너의 기억이 다시 찾아와 생각이 나
겠지."

김동률 씨가 부른 기억의 습작이라는 노래의 가사 한 구절이다. 언
젠가 이 노래의 노랫말처럼 지치고 힘든 어느 날에 지금, 이 순간들이
문득 떠오를 것 같다.

6주라는 시간 동안 "자아실현"이라는 목적으로 시작된 나의 글쓰
기…. 항상 모든 일의 끝은 아쉽다. 표현하고자 했던 것을 다 표현하지
못한 기분이 든다.

하지만 끝은 또 다른 시작이라는 말이 있지 않은가? 언젠가 단독 출
판을 하기 위해 준비를 할 생각이다. 소재가 될 만한 글감을 모아서 적
어 놓기로 했다.

앞으로 글을 계속 쓸 생각이다.

끝으로 수업을 진행해 주셨던 작가님
함께 수업에 참여했던 공동 저자, 예비 작가님들
너무 고생했다고 이야기하고 싶다. 하시는 일 전부 다 잘되시기를

기원한다.

행운 가득한 날들이 가득하기를…

감사합니다.

흑백 큐브

김진용

김진용　　어린 시절부터 상상하는 것을 글이나 그림으로 표현하는 것을 좋아했
다. 그러면서 자연스럽게 시각디자이너가 되었고 항상 새로운 생각과
관심사들로 하루하루를 채워가는 삶을 살아가고 있다. AI가 이슈인 요
즘, SF에 관심이 생겨 관련 영화나 자료들을 수집 중이다. 미래에는 인
간 사회가 어떻게 변해갈지 기대되면서도 한편으론 우려되는 마음을
가지고 있다.

인스타그램: @emotional_designer

「행복을 위해 돈을 좇아 현재를 팔았지만 돌아온 건 〈나〉를 잃은 로봇뿐이었다.」

2100년, 대한민국은 오랜 숙제였던 인구 고령화에서 벗어나기 위해 매년 다양한 출산 장려 정책들을 펼쳤지만, 해마다 떨어질 생각이 없는 물가상승률로 인해 1인 가구로 생활하는 것이 이제는 필연적인 모습이 되었다.

그러면서 서서히 인구가 감소하기 시작했고 현재는 전체 인구가 3천만 명으로 줄어드는 지경까지 이르렀다. 그러나 인공지능 기술의 발달로 의료, 교육, 금융, 산업 등 다양한 분야에서 〈AI(Artificial Intelligence)〉가 부족한 인구 빈자리를 채워가며 빠르게 상용화되기 시작했다. 한편으로는 기술 발전이 빠른 수도권으로 인구 밀집이 집중되다 보니, 조금만 대도시를 벗어나면 마치 역사 드라마 촬영 세트장처럼 이질감이 느껴질 정도로 지역 격차는 심화하였다.

특히, 취업 시장의 시스템 변화가 두드러지게 나타났는데, 더 이상

과거처럼 자기소개서를 쓰거나 포트폴리오를 준비할 필요 없이 태어나는 순간부터 팔에 이식되어 죽기 전까지 모든 정보가 기록되는 메모리칩을 통해 쉽게 여러 회사에 지원할 수 있게 되었다.

2101. 10. 2… 그날은 대한민국의 인공지능 기술의 우수성을 세계적으로 알린 역사적인 순간이었다. 여느 때와 다름없이 나는 퇴근 후 지하철을 타고 집으로 가는 길이었다. 항상 그렇듯 무의식적으로 오른손에 들려 있는 스마트폰의 화면은 이제 막 출근한 직장인처럼 분주하게 움직이고 있었다. 뉴스 기사를 보던 중 유독 눈에 띄는 머리기사가 있었다.

[신생기업 GoF, 세계 최초 인공지능 반도체 특허 출원, 대한민국 새역사를 쓰다]

미국소비자기술협회〈CTA(Consumer Technology Association)〉가 주관하는 세계에서 가장 권위 있는 가전제품 박람회인 〈CES(Consumer Electronics Show)〉에서 신생기업인 〈GoF(Good Life)〉의 〈CEO〉최관기는 기존의 〈CPU〉와 〈GPU〉를 결합한 형태가 아닌 복합형 반도체〈HAB : Hybrid AI Brain〉를 선보였다.

최관기 〈CEO〉는 이번 박람회에서 해당 기술에 대해 다음과 같이 설명했다.

"〈HAB〉는 뇌의 병렬 처리와 신경망 구조를 모방하여 데이터를 처리하며 기존의 〈CPU〉와 〈GPU〉를 결합한 형태의 인공지능 반도체

보다 학습과 추론 기능이 뛰어나 전력 소모가 적어 에너지 효율성이 높습니다. 〈GoF〉측에선 해당 반도체를 내부적으로 검토 및 보완 후 내년 상반기부터 생산 및 양산할 계획이며, 이를 통해 인공지능 기술의 발전과 반도체 산업의 발전에 이바지할 것으로 기대됩니다."

〈GoF〉…여느 신생기업처럼 혜성처럼 잠깐 반짝하고 사라질 것으로 생각했던 나는 기사를 다 읽기도 전에 집 근처 역에 도착했다는 안내방송을 듣고 황급히 스마트폰 화면을 끄고 자리를 벗어났다.

퇴근하고 집으로 가는 길은 늘 그렇듯 하루를 무사히 끝마쳤다는 안도감과 내일 다시 출근해야 한다는 압박감이 머릿속을 헤집는 영겁의 시간이다. 달빛을 가로등 삼아 사회로부터 완전히 격리되었다 싶을 정도로 골목을 하염없이 걷다 보면, 어릴 적 동화에서 보았던 금방이라도 무너질 것 같은 유령의 집이자 아지트인 반지하 자취방이 나온다. 지하철에서 수많은 인파를 뚫고 지상으로 올라왔다가 다시 지하로 내려가야 하는 내 모습이 마치 숨을 쉬기 위해 바다 위로 잠깐 고개를 내밀었다 잠수하는 돌고래 같았다.

세월의 흔적을 말해주듯 곳곳에 갈색 때가 낀 문을 천천히 열어보니, 삐걱거리는 소리와 함께 금방이라도 빨려들 것 같은 짙은 어둠이 나를 감싼다. 부동산 앱으로 월세가 낮은 곳을 찾다가 이곳까지 왔지만, 인공지능 기술이 발달한 22세기에 아직도 이런 집이 있다는 게 놀라울 따름이다. 어둠을 쫓아내고자 불을 밝히니 한눈에 보이는 방이 나를 반긴다. 지칠 대로 지친 몸은 무의식적으로 침대로 가려 하지만 오늘 회사에서 묻은 직장 상사의 잔소리와 업무로 쌓인 스트레스를 씻어내기 위해 힘겹게 옷을 갈아입고 화장실 거울 앞에 선다.

관리를 편하게 하려고 짧게 자른 검은색 머리, 피곤함에 절어 당장이라도 닫힐 듯한 무거운 눈꺼풀과 판다를 연상케 하는 짙은 눈그늘, 아침에 분명 밀었는데 어느새 잡초처럼 무성한 수염들…그야말로 전형적인 직장인의 얼굴이었다. 거울 속 나를 마주 보고 있자니 어린 시절 보았던 아빠의 모습이 떠오른다.

아빠는 국가를 위해 일하는 공무원이었다. 공무원의 직업 특성상 항상 꼬리표처럼 따라다니는 수식어가 있었는데 바로 〈평생직장〉이다. 그래서인지 아빠는 늘 입버릇처럼 하던 말이 있었다.

"아들, 나중에 취업하게 되면 꼭 공무원처럼 평생직장으로 일할 수 있는 곳으로 가렴."

그때마다 나도 버릇처럼 말했다.

"평생직장이 내 꿈과 반대된다고 해도?"

"꿈도 중요하지만, 현실을 직시할 줄도 알아야 한단다."

철없던 어린 시절에는 그 말이 무슨 뜻인지도 몰랐고 그저 듣기 싫은 잔소리처럼 들렸었다. 시간이 흘러 사회적 구조에 대해 어느 정도 이해하게 될 나이가 되었을 때, 나는 진짜 내가 바라는 꿈을 찾고자 했지만, 마음 한편에 있는 아버지의 말이 떠올라 고민 끝에 진로를 인공지능 마케터로 선택했다. 당시에 인공지능 기술이 각광받고 있었지만, 기업 간에 이렇다 할 특허가 없다 보니 자연스럽게 차별화된 마케팅 즉, 광고쪽으로 관심이 쏠렸고 비슷한 기술력을 그럴듯하게 포장할 수 있는 인공지능 마케터의 고용률이 날이 갈수록 높아졌다. 하지만 이런 기술들이 수도권에 밀집되어 있다 보니, 고향을 떠나 홀로 독립할 수밖에 없었다.

대학 졸업 후, 처음 몇 년간은 사회초년생이기도 했고 다양한 경험을 해보자는 생각에 전문성은 떨어지지만 빠르게 실력을 키울 수 있는 신생기업에서 그야말로 열정페이로 일했다. 대표를 포함해 5명이 겨우 들어가는 작은 사무실, 실력은 없었지만 지치지 않는 체력과 포기하지 않는 열정이 있었기에 2년이라는 짧은 기간에 노력을 인정받아 사원에서 단숨에 대리를 달게 되었다. 그래서였을까? 밑에서는 함께 입사했었던 동기의 시기와 질투가 날이 갈수록 심해졌고, 위에서는 대리를 달아줬으니 더 큰 성과를 기대한다며 무언의 압박을 주기 시작했다. 회사를 위해 일과 삶의 균형까지 버려가며 그렇게 열심히 일했는데 이런 대접을 받는다는 게 상식적으로 이해가 되질 않았다. 당장이라도 때려치우고 싶었지만, 이 또한 지나가거라 생각하며 연봉협상이 얼마 남지 않은 시점에서 지옥 같은 하루하루를 버텨나갔다.

2102.12.1 회사 대표가 칸막이 없는 사무실의 한쪽 구석에 있는 테이블에 중대한 발표가 있다며 우리들을 자리로부터 불과 몇 미터 위치에서 소집했다. 나는 내심 연봉협상에 대한 건가 싶어 기대했지만, 첫마디를 듣는 순간 귀를 의심했다.

"연말이고 해서 연봉협상을 기대했으리라 생각됩니다만 죄송하게도 구조조정에 대해 말하고자 합니다. 2100년도에 회사를 창립한 이래로 지금까지 이런저런 우여곡절이 있었으나 여러분들의 노고가 있었기에 신생기업에서 중소기업으로 발전할 수 있었습니다.

올해 매출은 작년과 비교했을 때 오른 것은 맞지만, 그 수준이 매년 오르는 인건비를 충당하기엔 저조한 편입니다. 그렇기에 팀장급 이상 인원들끼리 이런 상황에 대해 내부적으로 검토 후 구조조정에 해당하는 인원에 대해선 이후 별도로 연락드릴 예정입니다. 다시 한번 갑작스럽게 발표하게 되어 죄송합니다."

헛웃음이 나왔다. 회사 조직도를 보면 대표, 부대표, 팀장, 나, 그리고 한때 동기였던 사원을 포함해 5명밖에 안된다. 그런데 팀장급을 제외하면 잘릴 수 있는 인원은 나와 동기뿐이었다.

지금껏 이뤄낸 업적이나 노력을 비교해 보면 누가 봐도 동기가 잘릴 거 같았지만 어디까지나 예외가 있었기에 긴장의 끈을 놓을 수가 없었다. 그렇게 찝찝하고 불안한 기분을 피운 채 퇴근 시간이 서서히 다가왔다. 내 예감은 그대로 적중했다. 대표가 직접 연락하기에는 미안했는지 팀장으로부터 문자가 왔다.

"강자경 대리님, 문자 받자마자 예상했겠지만, 이번 달까지만 회사 다니고 그만두는 게 좋을 거 같아요. 나도 회의하면서 이건 아니라고 따져봤지만, 대표님 의지가 워낙 확고했던 터라 어쩔 수 없이 어렵게 얘기하게 되네요. 2년 동안 함께 일하며 팀장으로서 잘해준 게 많이 없는 거 같아 미안합니다."

혹시, 동기가 대표의 사촌이나 친인척이라도 되었던 걸까? 아니면 나도 모르게 뒤에서 정치질했던가…도대체 동기도 아니고 왜 나를 자르는 건지 이유를 묻고 싶은 말이 목구멍까지 치밀어 올랐지만, 차라리 잘됐다고 생각하며 나지막이 문자를 보냈다.

"팀장님, 지금 상황이 저도 이해가 되진 않지만, 그동안 팀장님과 함께 일하면서 많은 경험을 하고 배웠습니다. 다음에서 사적으로 만나게 되면 술이나 한잔해요."

"이해해 줘서 고마워요. 구조조정에 대해 갑자기 얘기한 부분에 대해 대표님도 미안하게 생각해서 위로금으로 석 달 치 월급을 지급해 준다고 하니 작게나마 위로 삼았으면 해요.

주식을 샀을 때도, 복권을 샀을 때도 항상 번 것보다 잃을 때가 많았는데 이런 건 또 잘 맞추는 나 자신이 놀라우면서도 한편으로는 씁쓸한 기분이 든다.

차라리 잘됐다. 그전부터 회사를 나가고 싶다는 생각과 더 이상 회사에서 배울 것이 없다고 생각했었으니까. 회사가 나를 담을 수 있는 그릇의 크기가 작았던 것이라 위로 아닌 위로를 해본다. 그렇게 첫 직장을 나오게 되면서 많은 것을 깨달았다. 될 수 있는 대로 규모가 작은 회사는 가지 말 것, 일을 너무 잘하지도 너무 못하지도 말 것, 동료들과 친하게 지내되 적당히 거리를 유지할 것.

신생기업에서 그런 일을 겪고 나니 자연스럽게 다음 직장은 신생기업이 아닌 중견기업이나 대기업으로 향했다. 거기라면 적어도 되지도 않는 이유로 자르진 않을 테니.

백수로 지내면서 생긴 하루 루틴은 해가 중천에 뜰 때까지 늦잠 자고 일어나 〈이불 밖은 위험해〉를 시전하며 취업 앱에 접속해 조금이라도 내가 했던 일과 연관이 있으면 닥치는 대로 지원 신청을 했다. 처음 취업할 당시엔 지금껏 살아오면서 기록된 나에 대한 모든 정보가 담긴 메모리칩을 스마트폰에 연동시켰고, 연동된 데이터들을 취업 앱에 접속해 그대로 다시 업데이트 해야 하는 약간의 번거로움이 있었지만, 한 번 등록하고 나니 그 뒤로는 버튼 한 번이면 지원신청부터 결과까지 한 번에 확인할 수 있었다.

2년이라는 시간이 짧진 않지만 그렇다고 길지도 않은 애매한 경력이라 그런지 신청하는 족족 떨어지는 것을 보며 시간이 갈수록 마음의 여유와 함께 석 달 치 받은 위로금도 떨어져 가기 시작했다. 신생기업은 죽어도 가기가 싫었고 이대로는 안 되겠다 싶어 단기 알바라도 구해 하루하루를 연명해 갔다.

어느덧 3년이라는 시간이 흘러…아르바이트가 끝나 버스를 타고 집으로 가는 길이었다. 〈GoF〉가 〈HAB〉를 특허로 발표한 이후 해당 기업에 관심이 생겨 취업 앱에 관심 기업으로 등록해 놓았는데, 제대로 된 직장에 취업하고 싶었던 절실함이 통했는지 그날따라 유독 취업 공고 알림이 내 스마트폰 화면을 열심히 두드리고 있었다. 신생기업에 있을 당시에도 취업 공고가 몇 번 올라왔었으나 신생기업이었던 터라 평균연봉이 비교적 낮았었다. 5년이 지났으니, 평균연봉이 처음보다는 올랐겠지만 큰 차이가 있을까 싶었다. 그 공고문을 보기 전까지는…

[Good Life를 지향하는 GoF 신입사원 및 경력직 채용]
[채용 분야] 인공지능 반도체 연구개발, 반도체 생산, 마케팅 기획분야

[접수 기간] 2106. 1. 10 ~ 1.20

[고용 형태] 정규직

[모집인원] 0명

[자격요건] 학력 무관, 관련분야 전공자와 경력자

[근무조건] 근무시간 주 5일, 오전 9시-오후 6시

[급여] 동종업계 기업 대비 2배(자세한 급여는 회사 내규에 따라 결정)

[복지] 평생직장, 의식주 모두 제공

[채용 절차] 서류등록 – 최종 합격

[접수 방법] 이메일 접수 : recruit@gof.com / 홈페이지 접수 : www.gof.com/recruit

[문의처] 연락처 : 002-143-255 / 이메일 : recruit@gof.com

공고문을 보자마자 가장 먼저 눈에 들어온 것은 급여하고, 복지였다. 동종업계 대비 2배…알아본 바에 의하면 〈GoF〉가 인공지능 반도체 특허를 낸 이후 경쟁기업들이 앞다투어 비슷한 특허들을 우후죽순 발표했지만, 그중에서 살아남은 기업은 손에 꼽을 정도로 적었고 〈GoF〉가 업계 1위를 몇 년째 독점하고 있다고 해도 과언이 아니었다. 오죽했으면 시가 총액이 500조를 돌파했다는 기사가 하루 이틀도 아니고 몇 달째 나오고 있을까.

사실상 명확한 비교 대상이 없다고 봐야겠지만 굳이 따지자면 〈스마트칩스(Smart Chips)〉 정도였다. 〈스마트칩스〉의 연봉이 신입 기준 2억인데 이 또한 절대로 적은 금액이 아니다. 그의 2배라면 4억…
상상을 초월하는 급여라 비현실적으로 느껴질 정도다. 그뿐만 아니라
평생직장에 의식주 모두 제공, 그야말로 꿈의 직장이 있다면 이곳이
리라. 그런 생각도 잠시, 이런 혜택이라면 분명 사돈에, 팔촌에 전공
이 인공지능의 〈인〉자라도 들어간다 싶으면 앞뒤 가릴 것 없이 무작
정 지원하고 볼 것이고 경쟁률은 불 보듯 뻔할 것이다. 하지만 지금껏
하루살이로 겨우겨우 버티고 있었던 상황이라 정말로 취업이 간절했
기 때문에 지푸라기라도 잡는 심정으로 지원신청 버튼을 눌렀다.

접수 기간이 종료되고 최종 합격 발표를 기다리는 나의 모습은 평
소에는 신을 믿지 않다가 필요한 순간에 안 하던 주기도문을 읊거나
삼배하는 등 절박하게 믿는 무신론자였다.

나의 간절함이 하늘에 닿은 건지, 그날따라 해가 2시를 가리키는지
도 모르고 꿈속에서도 열심히 기도하던 나는 적막을 깨는 벨소리에
화들짝 놀라 서둘러 머리맡에 있는 스마트폰을 향해 빠르게 손을 뻗
었다.

게슴츠레 뜬 두 눈은 처음 보는 번호를 마주하며 이 시간에 연락이
올 사람이 누가 있을까 열심히 머리를 굴리던 찰나, 미처 보지 못한
발신지를 확인한 나는 근래 들어 가장 민첩한 손놀림으로 전화를 받
았다.

"여보세요…?"

"강자경님, 〈Good Life〉를 지향하는 〈GoF〉에 최종 합격하셨습니
다. 축하드립니다."

대답하기도 전에 마치 녹음이라도 한 듯 스피커 너머로 감정 없는 목소리가 들려온다.

"지금으로부터 2시간 이후, 귀하를 우리 기업으로 이송하기 위해 자택으로 차량을 보낼 예정이며 별도로 챙겨야 할 물품은 없습니다. 그러면 2시간 이후에 뵙겠습니다."

너무나도 갑작스럽게 벌어진 일이라 어안이 벙벙했지만…내가 합격이라니! 수천, 아니 수만 명의 경쟁률을 뚫고 합격했다는 게 8,145,060분의 1 확률인 로또 1등 당첨보다 더 값지게 느껴졌다. 지난 5년간 겪은 일들을 생각하니 나도 모르게 눈물이 흘렀다.

이제 정말로 고생 끝 행복 시작이리라.

합격했다는 기쁨도 잠시, 시계를 보니 오후 4시를 가리키고 있었다.

나는 기쁜 마음을 공유하기 위해 잠시 쉬고 있던 스마트폰을 귀에 서둘러 가져다 댔다.

"어, 아들~이 시간에 웬일이야?"

"엄마…"

"왜? 무슨 일인데? 불러놓고 말이 없어?"

"나…〈GoF〉에 취업했어!!"

"뭐라고? 잘못 들은 거 아니지? 정말 〈GoF〉가 맞아?."

"나도 지금 상황이 꿈인 거 같아서 방금 볼을 꼬집어 봤는데 진짜야!"

"어머, 축하해 아들! 기념으로 외식이라도 하자, 집에 언제 내려와?"

"아까 전화 왔었는데 회사에서 2시간 뒤에 데리러 온다고 했어, 외식은 다음에 해야 할 거 같아."

"응, 나중에 휴가 나오면 얘기해줘~맛있는 거 먹으러 가자."

"응, 휴가 나가면 전화할게~."

"잠깐만, 옆에 너희 아빠가 할 얘기 있다고 빨리 바꿔 달라네."

"어, 아들 옆에서 들었어~ 그렇게 들어가기 어렵다는 〈GoF〉에 취업했다며~ 장하다! 오늘 저녁에 안 그래도 계모임 있는데 가서 아들 자랑이나 실컷 하마. 가서 적응 잘하고 힘든 일 있으면 얘기하고 아빠는 아들 잘하리라 믿는다!"

"그럼, 누구 아들인데~첫 월급 나오면 용돈 두둑하게 얹어드리지요~."

"이야, 이거 기대되는데? 아빠는 많은 거 안 바란다. 차나 한 대 새로 뽑아줘~."

"한 대로 되겠어? 엄마 차까지 두 대로 대접하겠나이다."

그렇게 부모님과 통화를 마무리하고 집 청소를 하던 중, 밖에서 연신 자동차 경적이 울렸다. 〈GoF〉측에서 보낸 차량이 도착했다는 것을 직감한 나는 한껏 들뜬 마음으로 무거운 현관문을 마지막으로 인사했다.

〈GoF〉가 시가 총액 500조 기업이라 그런지 차량 또한 내가 생각했던 것과는 차원이 달랐다. 당연히 있어야 할 바퀴가 없었고 외관은 모두 검은색에 단단한 강철(?)로 둘러싸여 있었으며 전체적인 형태는

200년 전 선조들이 갖고 놀던 정육면체 큐브와 흡사했다.

도저히 탑승해야 할 문을 찾지 못해 이리저리 둘러보던 중 큐브의 한쪽 면이 열리며 갈 곳을 잃은 두 발 앞에 계단이 내려왔다. 사람이 없는 자율주행 차량에 탑승하며 처음 보는 인테리어에 부지런히 굴러가는 눈동자 소리가 들린다. 내부 역시 밤을 뒤집어쓴 듯 모두 검은색으로 되어있었으며 사람 한 명이 여유롭게 들어갈 정도의 공간으로 만들어져 있었다. 좌석은 고급 가죽으로 장인이 한 땀 한 땀 만든 것인지 바느질이 촘촘하고 균일하게 되어있어 그것을 보고 있자니 마치 〈VIP 고객〉이 된 기분이었다. 좌석에 착석하자 전면에 있는 직사각형의 스크린에서 차갑고 무미건조한 〈AI〉의 안내 음성이 나왔다.

"강자경님, 안녕하세요. 〈GoF〉에 취업하신걸 다시 한번 축하드리며 출발 전 몇 가지 안내 사항을 말씀드리겠습니다. 저희 〈GoF〉는 독보적인 인공지능 반도체 기술력으로 계속해서 성장하고 있으며 대한민국의 미래를 주도할 기업입니다. 그러다 보니 행여나 기술력이 유출되는 것을 미리 방지하고자 기업의 위치 또한 기밀로 유지하고 있으며, 차량으로 이동 간에 외부 시야를 원천 차단하고자 합니다. 지금 나오고 있는 연기는 편안한 숙면을 위해 당사에서 직접 개발한 수면제며 앞서 말씀드린…"

말이 채 끝나기도 전에 나의 시야는 기대감과 불안감의 밀물에 의해 서서히 잠겼다.

얼마나 시간이 흘렀을까? 눈을 떠보니 새하얀 천장에 깃든 조명이 은은하게 얼굴을 간지럽힌다. 옷차림을 보니 집을 나설 때와 같았지만, 중요한 건 오른쪽 바지 주머니에 있었던 스마트폰이 사라지고 없었다.

이것 또한 보안 유지를 위한 조치인 건가? 주위를 둘러보니 대략 10평 남짓한 원룸형 공간에 방 전체가 화이트로 되어있고 내가 누워 있는 침대를 제외하곤 그 어떤 물건도 보이지 않는다. 이곳은 잠을 자는 공간인지, 잠깐 머물고 가는 휴게실인지, 도저히 가늠되질 않았다. 일단 여기를 벗어나야겠단 생각에 이리저리 발걸음을 옮겨 둘러보던 중 침대를 기준으로 동쪽에서 미세한 기계 소리가 들리기 시작했다. 그러더니 벽인 줄만 알았던 곳이 자동문처럼 좌우로 열리며 사람의 형상을 한 안드로이드가 들어온다. 여기가 어디인지 물어보려던 찰나, 마치 이런 반응을 어느 정도 예상한 듯 반대쪽에서 먼저 말을 꺼냈다.

"강자경님, 안녕하세요. 저는 강자경님의 빠른 〈GoF〉 생활 적응을 돕기 위해 배정된 〈PSM-03〉이라고 합니다. 편하게 〈03〉이라고 불러주시면 됩니다. 〈PSM〉에 대해 덧붙여 설명하자면 〈Parallel Supervised Machine(병렬 지도 학습 머신)〉의 약자이며 뉴스 기사를 보셔서 아시겠지만 〈GoF〉에서 개발한 인공지능 반도체 기술〈HAB〉가 반영되어 제작된 세계 최초의 안드로이드를 지칭합니다."

첫 입사자를 위한 매뉴얼이 있는지 계속해서 말을 이어갔다.

"현재 위치하고 있는 이곳은 강자경님께서 앞으로 평생 의식주를 해결할 공간이며 아무것도 없는 공간처럼 보이지만 필요한 것이 있을 때 〈음식, 침대, 작업〉 등 키워드를 말씀해 주시면 벽면이 변형되어 장소를 제공해 드리고 있습니다. 시스템에 익숙하지 않아 사용이 어려우시다면 제가 도움을 드리겠습니다."

"본격적인 업무는 내일부터 진행될 예정이며 그때 다시 자세하게 안내해 드리겠습니다. 그 외 궁금한 점 있으신가요?"

많고 많은 말 중에 가장 먼저 의문점이 든 한 가지가 있었다.

"평생 의식주를 해결한다고 했는데 그러면 이곳에서 벗어나지 못하고 계속 있어야 한다는 거야?"

이어서 나온 답변은 다소 충격적이었다.

"네, 맞습니다. 말씀드린 그대로 지금 위치한 이 공간에서 계속 생활하셔야 하며 〈GoF〉 기술 유출 우려로 인해 규정한 점 양해 부탁드립니다."

"이곳에서 벗어나는 방법은 없어?"

"이곳에서 벗어나는 방법은 다음과 같이 세 가지가 있습니다."

---

1. 임원으로 승진할 경우

2. 전쟁이나 지진 등 불가피한 사건, 사고로 탈출해야 하는 경우

3. 당사에서 반드시 지켜야 할 규정을 어겨 처벌받을 경우

단지 지금보다 더 나은 삶을 위해 악착같이 버티고 또 버티며 살아남은 게 다인데 갑자기 또 다른 시련이 내게 닥쳐온 것만 같았다. 〈03〉의 답변에 대해 생각이 많아졌다. 우선 이곳에 벗어날 방법은 세 가지라고 했지만, 요지는 죽도록 일해서 임원으로 승진하라는 말처럼

들렸다. 두 번째 방법은 하늘에 기도하는 방법밖에 없고 세 번째는 지금 내가 당장 해볼 수 있는 방법이지만 처벌을 받는다는 게 정확히 어떤 것인지 상상이 되질 않았다. 혹시 처벌이 어떤 건지에 대해서도 답변해 주려나? 호기심을 견디지 못해 대기하고 있는 〈03〉에 물어보았다.

"벗어나는 방법 중 세 번째, 처벌은 구체적으로 무엇을 말하는 거지?"

"처벌에 대한 부분은 임원급부터 알 수 있는 정보이므로 저 또한 답변드릴 수 없습니다."

임원급부터 알 수 있는 정보라⋯분명 평범한 내용은 아닐 것이다.

"그러면 지켜야 할 규정에 대해 자세하게 말해줘."

"〈GoF〉 내에서 반드시 지켜야 할 규정은 다음과 같습니다."

----

1. 내부 기밀정보 유출 방지를 위해 입사를 기점으로 죽기 전까지 회사 내에서 모든 것을 해결할 것

2. 친구나 가족, 친척 간의 면회는 화상 또는 일반통화로만 가능하며 1년에 한 번, 제한 시간은 1시간인 점을 인지할 것(통화권은 1년 안에 사용하지 않으면 사라짐)

3. 매일 오전 9:00에 VR기기를 통해 자사에서 운영하는 채널인 〈SoH(Sound of Heart)〉에 접속하여 자사에서 제공하는 교육을 이수할 것

4. 원활한 업무 수행 능력을 위해 매일 저녁 10:00 이후에는 반드

시 취침할 것

5. 시설 내에서 소란을 피우거나 수상한 행동을 하지 말 것

"해당 규정들을 어길 시 경고를 받게 되며 3회 이상 누적될 시 처벌받을 수 있습니다."

듣다 보니 하나같이 일거수일투족을 기업에서 통제하겠다는 말로밖에 들리지 않는다.

질문할 것들이 수두룩하지만 아직 본격적으로 일을 시작한 것도 아니고 저녁 먹을 시간이 된 건지 아까 전부터 계속 뱃속에서 배고프다고 시위 중이었기에 다 제쳐 두고 마지막 질문을 했다.

"음식은 어떻게 해결하지?"

"음식은 직원들을 위해 자사에서 개발한 영양소가 풍부한 〈BCB(- Balanced Chocolate Bar)〉를 제공해 드리고 있으며 하루 세 번 원하는 시간에 말씀해 주시면 준비해 드리겠습니다."

"다른 음식은 없어?"

"다른 음식은 현재 제공하고 있지 않지만 〈BCB〉를 기호에 맞게 맛을 변형시켜 드릴 수 있습니다."

부모님의 울타리에서 벗어나 5년 가까이 자취 생활을 하면서 가장 귀찮고 번거로운 일이 요리를 하는 과정이었는데 지금껏 들었던 말 중 가장 마음에 드는 답변이었다.

"그러면 가장 기본적인 맛으로 지금 준비해 줘."

"음식은, 침대 앞으로 가져다드리면 되겠습니까?"

"응, 그렇게 해줘."

말이 끝나기 무섭게 〈03〉은 입구에서 왼쪽 구석으로 가더니 마술사처럼 눈 깜짝할 사이에 접시 위에 〈BCB〉를 담아 내 눈앞에 서서 접시를 내밀었다. 〈BCB〉는 겉으로 봤을 땐 우리가 길거리 편의점이나 마트의 디저트 판매대에서 흔하게 볼 수 있는 초콜릿바였다.

뱃속에서 울리는 아우성이 천둥번개로 바뀌기 시작할 때, 나는 서둘러 〈BCB〉를 집어 요동치는 폭풍을 잠재우기 위해 목구멍으로 밀어넣었다. 이윽고 뱃속의 폭풍은 지나가고 맑은 날씨를 되찾았다.

첫맛은 어느 정도 예상했던 달콤한 초콜릿 맛이었지만, 씹으면 씹을수록 묘하게 단맛을 내기 위해 감미료를 첨가한 듯 인공적인 맛이 느껴졌다. 아무래도 기본적인 맛은 이번을 끝으로 그만 먹어야겠다는 생각이 든다. 그렇게 살기 위해 억지로 다 먹고 나니 의외로 포만감이 있다는 걸 깨닫는 찰나에 옆에서 가만히 지켜보던 〈03〉이 말을 꺼낸다.

"강자경님, 취침 시간 10분 전으로 곧 소등될 예정입니다."

시간이 벌써 그렇게 된 건가…사방이 막혀있는 이 공간에 있다 보니 시간 개념도 사라진 것 같았다. 〈내가 이곳을 얼마나 버틸 수 있을까〉라는 의문이 든다.

"스마트폰이 없는데 알람은 어떻게 맞추지?"

"네, 시간을 말씀해 주시면 해당 시간에 맞춰 깨워드리겠습니다."

"음…오전 9시에 교육을 듣는다고 했던 거 같은데 그러면 본격적인 업무 시작은 몇 시야?

"본격적인 업무 시작은 교육 종료 직후인 오전 10시입니다."

밥 먹고 씻고 출근 준비하며 걸리는 시간을 얼추 생각해 보니 1시간이면 충분할 것 같았다.

"그러면 오전 8시로 맞춰줘."

"네, 알겠습니다. 편안한 밤 되시길 바랍니다."

마지막 대답을 끝으로 〈03〉은 들어왔던 문으로 다시 나갔고 나와 침대를 비추던 조명은 해가 지듯 서서히 어두워졌다. 일어났던 침대에 다시 누우며 오늘 있었던 일들을 되돌아본다. 늦잠을 자서 실제론 짧은 시간이었지만 이곳에 오기까지 정말 많은 생각들이 오갔던 것 같다. 내일이 되면 본격적으로 일을 시작하게 될 텐데…잘할 수 있을까? 아니 잘 적응할 수 있을까? 걱정이 좀 앞서긴 하지만 내일의 나에게 맡기고 이만…

피곤했던 탓인지 나도 모르게 잠들었지만, 어느새 알람 시간이 된 건지 〈03〉이 곁으로 다가와 한 치의 망설임도 없이 오전 8시임을 알린다.

"강자경님, 현재 시각 오전 8시로 일어날 시간이 되어 알려드립니다."

항상 느끼는 거지만 직장인으로서 맞이하는 아침은, 전날 아무리 제시간에 잠들었다 하더라도 〈출근〉이라는 단어에 몸이 반응이라도 하듯, 주말보다 두 배로 무거워진다.

예민한 성격 탓인지 지금껏 단 한 번도 알람을 못 들어 지각한 적은 없지만 이번만큼은 〈못 들은 척이라도 할까〉라는 생각이 든다. 30분이라도 더 잘까, 어차피 여유 있게 맞춰 놓은 알람이라 30분 늦게 일어난다고 한들 회사까지 대중교통을 타고 이동할 일도 없으니 충분하리라. 스스로 게으름과 타협을 하던 중 〈03〉이 앵무새처럼 토시 하나 안 틀리고 아까랑 똑같이 말한다.

"강자경님, 현재 시각 오전 8시로 일어날 시간이 되어 알려드립니다."

가만히 두면 알람 시계처럼 계속해서 울릴 거 같아 힘겹게 말을 꺼낸다.

"30분 뒤에…다시 깨워줘"

"네, 알겠습니다."

안드로이드라 그런지 감정 없는 무미건조한 대답과 함께 다시 문밖을 나간다.

잠시 잊고 있었다. 출근하는 날 일어났다가 다시 잠들었을 때, 그 시간은 몇 분이 되었든 찰나인 것을, 그리고 다시 일어났을 때, 처음보다 두 배로 피곤해진다는 것을…〈03〉은 칼같이 정확히 30분 뒤에 나를 깨우러 왔고 이번에는 정말로 일어나야겠다는 생각이 들기도 전에 몸이 먼저 반응했다. 눈은 아직 아침을 맞이할 준비가 안 된 건지 여전히 굳게 문을 닫고 있지만 입은 아침 식사를 해야 한다는 듯 부지런히 여닫기를 반복하며 준비운동을 하고 있다.

"아침 식사 좀 부탁할게."

"네, 어제와 같이 기본적인 맛으로 준비해 드릴까요?"

"이번에는 기본적인 맛 말고 우유에 시리얼을 말아서 먹는 맛으로 준비해 줘."

메뉴를 말하면서도 〈이것까지 구현이 될까?〉라는 기대감이 든다. 어제와 마찬가지로 〈03〉은 같은 장소에서 빠르게 〈BCB〉가 담긴 접시를 나에게 건네준다. 말하는 대로 맛이 구현된다는 것이 신기하면서도 시간에 맞춰 출근해야 한다는 생각에 허겁지겁 아침 식사를 마치고 씻을 준비를 한다.

"씻으려고 하는 데 화장실은 어디 있어?"

"화장실은 식사하시는 곳 기준으로 대각선 반대편에 있습니다. 준비해 드릴까요?"

"시간이 없을 거 같으니 빨리 준비해 줘, 그리고 실시간으로 시간을 볼 수 있게 손목시계 좀 준비해 줄래?"

"네, 알겠습니다."

대답과 함께 이번에는 반대쪽 벽으로 가더니 몇 번의 터치와 함께 무에서 유를 창조하듯 2평 남짓한 화장실이 만들어졌다. 화장실 문을 열고 안으로 들어가 보니 마찬가지로 깔끔한 흰색 조의 실내장식과 변기, 세면대, 샤워실 순으로 나를 맞이하고 있었다. 세면대 위에는 거울과 함께 칫솔과 치약, 양치 컵이 나란히 줄 서 있었고 샤워실에는 씻을 때 필요한 세정 용품들이 제자리를 지키고 있었다. 감상할 시간도 없이 허겁지겁 씻고 나오니 〈03〉이 어느새 손목시계를 준비해 문 앞에 서있었다.

"말씀하신 손목시계 여기 있습니다."

외관을 보니 일반적인 손목시계와는 다르게 시계 끈이 없었고 시간이 보이는 원형의 스크린만 있었다. 보기엔 그렇게 보이지만 지금껏 봐왔던 〈GoF〉의 기술력을 믿고 손목에 가져다 대니 숨겨져 있던 시계 끈이 위아래로 고개를 내밀며 서서히 감싸더니 손목 둘레에 맞춰 밀착되었다. 왼쪽 팔에 시계를 차고 있다고 생각하고 있지 않으면 모를 정도로 착용감이 좋았다. 시간을 보니 오전 8시 50분을 가리키고 있었다.

〈SoH〉 채널 접속까지 10분밖에 안 남았지만, 이것저것 요청하는 대로 빠르게 준비해 주는 〈03〉 덕에 무사히 제시간에 맞춰 〈VR〉을 통해 〈SoH〉에 접속할 수 있었다.

일반적으로 회사에 취업하게 되면 관련 업무와 시스템을 빠르게 습득하고 적응하기 위해 교육 이수를 하는 건 당연하지만, 〈GoF〉는 그런 교육 이수에 대한 방식이 조금 독특했다. 화면을 보면서 인터넷 강의를 듣는 방식이 아니라 가상의 공간에 마치 게임 캐릭터처럼 나를 대신하는 아바타가 있고, 일인칭 시점에서 일종의 〈NPC〉역할을 하는 사내 교육담당자가 교육하는 시스템이었다.

다만 보편적으로 생각하는 아바타와는 다르게 닉네임과 옷차림이 처음 접속할 때부터 정해져 있었다. 〈GoF-03〉, 뒤에 숫자는 〈PSM-03〉과 동일하다. 내가 3번째로 입사한 직원이라는 뜻인가? 아니면 직급을 일종의 레벨로 표시한 것일까? 옷차림을 둘러보니 머리에는 헬멧이 띄워져 있었고 밑으로는 쫄쫄이보다는 두껍고 우주복보다는 얇은 정도의 슈트가 입혀져 있었다. 교육이 끝나면 〈03〉에 〈SoH〉에 대해 여러 가지 물어봐야겠단 생각을 하던 순간, 옆에서 누군가 말을 건다.

"〈GoF-03〉님, 안녕하세요. 저는 〈GoF〉직원들의 교육을 맡게 된 교육담당자 〈NEO〉입니다. 안 그래도 이번에 처음 교육을 듣는다고 인사담당자에게 전달받아 이곳 〈SoH〉에 대한 시스템과 교육 프로그램에 대해 안내해 드리기 위해 기다리고 있었습니다."

〈NEO〉의 옷차림을 보니 한눈에 봐도 나와 다르다는 것을 느낄 수 있었다. 자신은 인간이 아님을 강력하게 어필하듯 〈03〉과 같이 안드로이드의 형태로 되어 있었고 무슨 생각을 하는지 전혀 알 수 없는 표정으로 나를 바라보고 있었다. 여러 가지 궁금증이 섞인 내 표정을 읽기라도 하듯 이어서 말을 하기 시작했다.

"이곳 〈SoH〉는 〈PSM〉에게 들어서 어느 정도 아시겠지만 좀 더 자세히 설명해 드리자면, 〈GoF〉에서 직원들의 교육을 위해 운영하는 채널이자 유일하게 일하고 있는 직원들과 소통할 수 있는 가상의 공간입니다. 교육 시간 이외에 다른 직원들과 교류할 수 있으며 〈GoF-03〉님과 마찬가지로 이곳에 입사한 사람들입니다."

안 그래도 혼자 계속 일하면 지루하거나 답답할 것 같았는데 듣던 중 반가운 소식이었다.

"마케팅 기획 분야로 입사하신 〈GoF-03〉님이 이곳에서 이수하셔야 할 교육 프로그램은 아래와 같습니다." 말이 끝남과 동시에 커리큘럼이 적힌 화면을 나에게 보여준다.

1. 광고 마케팅 기초

2. 광고 제작

3. 디지털 마케팅

4. 광고 효과 분석

5. 데이터 분석

6. 광고 마케팅 실습

7. 커뮤니케이션 스킬

8. 리더십

9. 기업 문화와 가치

커리큘럼을 보고 있으니 다시 대학생으로 돌아간 기분이 들었다.

"교육을 이수하시기에 앞서 〈GoF-03〉님의 공식적인 입사를 다시 한번 축하드리며 내일 오전 9시에 이곳에서 다시 뵙겠습니다. 그리고 정식으로 〈GoF〉의 직원이 되었다는 것을 증명하기 위한 계약서는 담당 〈PSM〉이 안내해 드리도록 하겠습니다."

말이 끝남과 동시에 〈NEO〉는 로그아웃 한 건지 시야에서 사라졌다. 쓰고 있던 〈VR〉을 벗고 한숨 돌리며 손목시계를 보니 오전 10시를 가리키고 있었다. 계약서 관련해 〈03〉을 부르니 기다렸다는 듯이 다가와 〈A4〉크기만 한 디스플레이를 나에게 건넨다.

계약서 양식은 일반적으로 여러 회사에서 많이 사용하던 것이었으나, 눈에 띄는 점은 처음 이곳으로 와서 〈03〉이 얘기한 규정들에 대해 적혀있었고 연봉은 앞서 추측했었던 경쟁사 스마트칩스의 2배, 즉, 4

억이 찍혀있었다. 4억이면 아무리 뗄 거 다 뗴도 월급이 2천만 원 가까이 될 텐데 국내 기업 중에선 신입 직원 중에 결코 이와 같은 금액을 주는 회사는 없을 거라 확신한다.

　비록 지금은 이곳에 갇혀 있는 신세지만 이른 시일 안에 임원을 달고 바깥 공기를 마시리라 다짐한다. 계약서를 다 읽은 나는 추가로 받은 펜으로 사인을 마무리했다. 이제 본격적으로 일을 시작하는 걸까? 〈03〉이 마지막으로 〈GoF〉에 지원 당시 제출했었던 지원서를 보여주며 해당 정보들이 맞는지 최종적으로 확인해달라고 말한다.

[인적 사항]

지원 부문 : AI 마케팅 전략기획

성명 : 강자경(진주 강 / 스스로 자 / 깨달을 경)

성별 : 남

주민등록번호 : 2760123-1967032 / 만 30세

학력 : ○○대학교 경영학과 졸업

거주지 : 서울시 제3구역

[경력 사항]

회사명 : 원케이션

직무 : AI 마케팅 전략기획

기간 : 2102년 1월 2103년 12월

담당업무 : 마케팅 전략 수립, 광고 캠페인 기획 및 실행, 시장 조사

및 분석

주요성과 : 매출 증가율 100% 달성, 광고 캠페인 ROI 200% 이상 달성

　지원서를 작성할 당시엔 위의 정보들 외에도 아르바이트나 수상내역들도 있었는데 아무래도 마케팅 분야로 지원하다 보니 자동으로 걸러진 듯했다. 대학 졸업 후 단 한 번도 쉬지 않고 알바라도 해가며 열심히 살아왔지만, 필터링된 지원서를 보고 있으니, 한편으로는 경력과 수치로 판단하는 이 시스템에 대한 회의감이 든다.

　이후 〈03〉에 주요 업무에 대한 안내를 받았고 업무들은 걱정과는 다르게 쉬운 편이어서 빠르게 적응할 수 있을 거 같다는 자신감이 생겼다. 2년이라는 짧지도, 길지도 않은 애매한 시간 동안 신생기업에서 그토록 피땀 흘려 열정을 쏟아부었던 것이 빛을 발하던 순간이었다. 이후에는 여느 직장인과 같이 순조롭게 시간이 흘렀다.

　오후 18:00, 공식적으로 〈GoF〉 직원으로 입사해 계약서상 명시된 근로 시간이 종료되었다. 첫날을 별 탈 없이 무사히 마무리했단 생각에 나도 모르게 안도의 한숨을 내쉰다. 고생한 기념으로 치킨에 맥주를 먹고 싶었지만, 그럴 수 없다는 걸 알기에 〈03〉에 치맥 맛이 나는 〈BCB〉를 요청한다. 오늘로써 벌써 세 번째 음식이지만 먹을 때마다 생각하는 음식과 똑같이 구현하는 〈GoF〉의 기술력에 경외감이 든다. 치맥을 씹고 있자니 문득 궁금증이 생긴다.

　"맛과 영양소는 그렇다 치더라도 음식마다 칼로리가 천차만별인데 그것도 조절할 수 있어?"

"네, 가능합니다. 직원마다 신체적 특성이 다르다 보니 개개인에 맞춰 일일 권장 칼로리를 계산해 음식을 제공해 드리고 있습니다."

"권장 칼로리는 어떻게 계산하는 거야?"

"바닥 전체가 〈바이오센서(Bio-sensor)〉로 되어있어 실시간으로 강자경님의 신체적 특성을 측정하고 기록된 데이터를 바탕으로 계산됩니다."

〈바이오센서〉로 혈당이나 심전도 등 신체의 일부분만 측정할 수 있는 걸로 알고 있었지만, 이쯤 되면 〈GoF〉 대표인 최관기는 외계인이 아닐까?

식사를 마친 나는 소화를 시킬 겸, 일하느라 계속 앉아있어 굳어 있던 몸을 풀 겸 기지개를 켜며 재빨리 업무공간을 정리한다. 운동을 하고 씻어야겠단 생각에 〈03〉을 호출한다.

"달리기를 좀 하고 싶은데 러닝머신도 있어?"

"네, 준비해 드리겠습니다."

말이 끝남과 동시에 내가 서있는 곳을 기준으로 〈1m〉 전방에 있는 바닥이 내려가더니 무빙워크처럼 생긴 러닝머신이 올라온다.

"제자리에서 달리기만 하면 좀 답답할 거 같은데 밖에서 달리는 느낌이 들게 할 수 있어?"

"네, 방 전체를 스크린화시켜 주변 풍경이 보이도록 구성하면 가능합니다."

"그러면 그렇게 하고 운동복도 좀 준비해 줘."

옷을 갈아입고 러닝머신 위를 걷고 있으니 주변 풍경들도 속도에 맞춰 이동하기 시작한다. 운동을 하는 시간만큼은 잠시나마 이곳에 갇혀 있다는 생각을 잊게 해주었다. 바쁜 하루를 마무리하며 이불 속으로 들어간 나는 오늘 있었던 일을 생각 해볼 틈도 없이 깊은 잠에 빠져들었다.

〈GoF〉에 들어온 지 이틀째 되는 날, 첫날에 맞춰 놓았던 알람 시간이 그대로 저장이 된 건지 정확히 8:30분에 〈03〉이 그때의 속도, 그때의 표정과 함께 나를 깨우러 왔다.

"강자경님, 일어나실 시간입니다."

앵무새처럼 같은 말만 하던 어제와는 다르게 조금 달라진 아침 인사에 약간의 신선함을 느꼈다. 알고리즘을 통해 학습되어서 그런 건가.

먼 미래에는 겉으로 봤을 때 정말로 사람과 구분이 안 될 정도로 업그레이드된 안드로이드를 생각하니 한편으로는 소름이 돋는다. 그때가 되면 인간과 〈AI〉의 구분이 사라지고 새로운 인류가 탄생하지 않을까? 첫날과 같은 일정으로 지루한 하루를 시작하려니 나도 모르게 생각이 많아졌다.

그나마 다행인 건 오전 교육 때 처음으로 다른 직원들을 볼 수 있다는 점이다. 시간에 맞게 〈SoH〉에 접속하니 어제는 미처 의식하지 못했던 주변 풍경들이 눈에 들어온다. 사실 풍경이라고 해봐야 사방이 흰색 벽으로 둘러싸인 공간이라고 봐야 할 듯하다. 내가 거주하고 있는 곳보다는 훨씬 넓어 보이지만 어디 가도 있는 백색을 무의식적으로 계속 봐와서 그런지 공간감이 느껴지지 않았다.

특이한 점은 나와 똑같은 옷차림을 한 인원들이 대략 90명 가까이 있었고 머리 위에는 저마다 이름 대신에 〈1부터 99까지의 숫자〉가 적혀 있었다. 최근에 입사한 사람이 나밖에 없었던 건지 일사불란하게 번호 순서대로 자리에 앉는다. 나는 3번이라 가장 앞줄에 있었는데 자리까지 걸어가면서 주변 사람들을 보니, 대부분 로봇처럼 곧은 자세로 정면을 바라보고 있었으나 몇몇은 서로 안면이 있는 건지 마주 보며 얘기를 하는 듯 보였다. 전 인원이 자리에 앉자, 정면에 있는 벽면에서 문이 열리더니 한눈에 봐도 〈CEO〉로 보이는 최관기가 앞으로 걸어 나오며 직원들을 마주한다. 그는 자신을 소개하면서 〈GoF〉의 역사와 비전, 앞으로의 목표에 대해 열변을 토하며 10분가량 연설하기 시작했다.

"〈GoF〉는 〈Good life〉의 약자로 〈인간의 이로운 삶〉을 목적으로 창립한 기업입니다. 시작은 비록 미약했지만, 우리 회사의 모든 직원의 피와 땀이 있었기에 오늘과 같은 성장을 이뤄낼 수 있었습니다. 이런 노고에 보답하고자 최고의 복지와 급여를 약속했고 〈GoF〉만의 이상주의적 세계를 이루기 위해 단 〈99명〉만이 이곳에 입사할 수 있도록 규정했습니다. 여러분들은 극한의 경쟁률을 뚫고 선택받은 특별한 사람입니다. 신의 직장이라 불리는 〈GoF〉의 직원이라는 점에 자부심을 가지고 오늘도 즐거운 하루 보내시길 바랍니다."

이후에는 직무별로 인원이 나눠지며 첫날에 〈NEO〉가 소개해 준 커리큘럼에 맞게 교육이 진행되었다. 1시간이라는 시간은 오로지 교육을 위한 시간이었던 건지, 잠시나마 다른 직원들과 대화를 해볼 수 있지 않을까 하는 기대감은 〈SoH〉를 로그아웃하며 사라졌다.

어찌 보면 직원이라곤 했었지만, 겉모습만 사람의 형상을 한 안드로이드가 아닌가 할 정도로 왠지 모를 이질감이 느껴졌다. 그렇게 하루하루 시간은 모래시계 속 모래 알갱이처럼 느리지만 천천히 쌓여가기 시작했고 어느덧 1년이라는 시간이 흘렀다...이곳에서 모든 걸 해결하면서 가장 좋았던 점은, 일반적으로 들어가는 의식주에 대한 비용이 일절 없었기에 월급을 받자마자 고스란히 통장에 축적되었다.

몇 달간은 업무 적응에 집중하느라 통장을 확인할 겨를이 없었는데, 이제는 여유가 생겨 항상 자기 전에 그동안 모은 돈을 확인하는 버릇이 생겼다.

마침 오늘이 월급날이라 〈03〉에 추가로 받은 스마트폰을 확인해보니 3억에 가까운 숫자가 스크린 속에서 빛나며 나를 비추고 있었다. 때마침, 스마트폰에서 내일까지 통화권을 사용하지 않을 경우 사라진다는 알림이 떴다.

아 맞다. 부모님께 전화한다고 했었는데…입사한 뒤로 한 번도 연락을 못 했으니 걱정할 것이 눈에 선했다.

신생기업에서 일할 때는 늦어도 한 달에 한 번은 꼭 연락했었는데…왜 연락해야겠단 생각이 안 났던 걸까? 이리저리 머리를 굴려봐도 머릿속은 마치 짙은 안개가 낀 것처럼 한 치 앞도 보이지 않는다.

1년에 한 번뿐이라는 통화 시간이 아직도 이해되질 않지만, 연락이 더 늦어지면 안 될 거 같아 내일은 일 끝나고 부모님께 바로 연락하리라 생각하며 눈을 감는다.

인간은 적응의 동물이라고 했던가. 규칙적인 생활을 하다 보니 이제는 〈03〉이 깨우러 오기도 전에 눈이 먼저 떠졌다.

〈03〉이 8시 30분에 들어왔지만 내가 깨어있는 것을 확인하더니 알아서 아침 식사까지 준비해 준다. 5분 만에 식사를 마치고 양치를 하기 위해 화장실로 간다. 양치하던 도중에 거울을 바라보던 나는 이전과는 묘하게 달라진 얼굴을 보며 깜짝 놀랐다.

짧았던 머리는 눈썹과 귀를 덮을 정도로 자라있었고 눈동자는 생기가 없었으며, 이곳에 들어오기 전에도 집돌이였던 탓에 안 그래도 하얗던 피부가 유난히 더 창백해 보였다.

분명 매 끼니 거르지 않고 꾸준히 챙겨 먹었고 좁은 공간이지만 운동도 하며 자기관리를 했었는데…이런 상태라니 상식적으로 이해가 잘 되질 않았다. 그 모습은 어딘지 모르게 〈03〉과 닮아있었다. 컨디션이나 건강상으론 이상이 없던 터라 의구심은 더 깊어졌다.

잠을 제대로 못 자서 그런 건가? 햇볕을 못 받아서? 먹는 것이 부실했나?

교육 시간이 다가와 걱정은 이쯤하고 서둘러 화장실을 나와 〈SoH〉에 접속했다.

매번 듣는 교육이지만 기분 탓인지 오늘따라 교육장 분위기가 삭막하게 느껴진다.

교육이 끝나고 로그아웃하려던 찰나, 함께 교육을 듣던 직원 중 한 명이 갑자기 소리를 지른다.

"〈GoF〉는 사람이 다닐만한 직장이 아니야! 사람을 로봇으로 만드는 곳이야! 우린 여기서 벗어날 수 없…."

말이 채 끝나기도 전에 외부의 통제를 받은 것인지 그는 눈앞에서 순식간에 사라졌다. 사건이 발생한 건 10초가 안 되는 짧은 시간이었지만 나는 마치 누군가 뒤통수를 세게 후려친 것처럼 10분간 머리가 멍했다. 단지 좀 예민했다고 생각했었는데…이곳에서 일하면 할수록 감정이 메말라가고 단순해지는 것이 로봇화되는 과정이었던 걸까.

이렇게 된 이유가 환경적인 요인도 있겠지만 뭔가 궁극적인 원인이 있을 거 같다는 게 현재까지의 추측이다.

기다리고 기다리던 퇴근 시간이 되자 나는 곧장 스마트폰에 있는 통화 앱을 통해 엄마한테 전화를 걸었다. 업무 공간의 모니터에 있는 화면으로 연동해 화상으로도 가능했지만 지금 몰골을 보여주면 걱정할 것이 뻔했다. 모르는 번호로 전화를 걸어서 그런지 신호음이 제법 길게 들린다.

"여보세요?."

"엄마, 나 자경이.."

"번호가 다른데..자경이 맞니?"

"맞아…너무 늦게 전화했지…? 미안해."

"응? 무슨 말이야? 몇 주 전에도 전화했었잖아."

"내가 몇 주 전에 전화했었다고?"

"그럼~ 전화와서 잘지내고 있으니 걱정 말라고 얘기했었는데? 무슨일 있는거 아니지?

"으응, 괜찮아 그냥 얼굴 못 본 지 좀 된거 같아서…전화라도 자주 해야지."

"다행이다. 밥 잘 챙겨 먹고, 일도 일이지만 건강이 제일 중요해. 휴가는?"

"지금 당장은 나가기 어려울 거 같아…때 되면 얘기해줄게."

"그래, 무슨 일 있으면 얘기하고 너희 아빠가 너 휴가 나오면 차 사주는 거 아니냐고 잔뜩 기대하고 있더라. 엄마도 그렇고~"

"당연하지~휴가 나가면 자동차 쇼핑할 준비나 하셔~그리고 번호 바뀌어서 이걸로 저장해놔…"

오랜만의 전화라 좀 더 통화하고 싶었지만, 몇 주전에 전화했다는 얘길 듣자마자 충격에서 헤어 나올 수 없었고 행여나 부모님의 걱정에 불을 붙일까 싶어 서둘러 통화를 마무리했다.

몇 주 전에 내가 직접 통화를 했었다고? 그럴리가 없는데? 기억을 거슬러 올라가보자. 마지막으로 스마트폰을 가지고 있었던 건… 분명 〈GoF〉에서 보내준 차량에 탑승했을 때였다. 그러고 나서 여기서 깨어났을 때 스마트폰만 감쪽같이 사라졌었다. 정황상 누가 봐도 〈GoF〉 짓임이 틀림없다는 결론이 나오는데 특히, 소름 돋는 건 부모님이 몰랐을 정도로 똑같은 내 목소리를 누가 흉내 내었냐는 것이다.

당시에도 〈인공 음성 합성(Text-to-Speech)〉이라고 해서 문장을 〈AI〉에 입력하면 사람의 목소리로 변환해 주는 딥러닝 기술이 있긴 했지만, 특정 인물의 목소리로 변환하기 위해선 녹음된 목소리에 대한 데이터가 있어야 한다. 혹시…합격했다는 통화를 받았을 때, 잠깐 말했던 것을 그대로 녹음해서 변환시킨 것일까?

6개월 동안 우물 속 개구리처럼 살다 보니, 그새 기술력이 더 발전한 건지, 〈GoF〉에서 직원들의 부모들을 안심시키기 위해 친히 개발한 건지 알 길이 없다.

도대체 얼마나 대단한 기술력이 있길래 이토록 통제하는 것일까, 조금 전에 종료되어 검게 물든 스마트폰 화면을 보며 〈GoF〉의 규정들이 오늘따라 더욱 야속하게 느껴졌다.

오전과 있었던 사건과 통화하면서 알게 된 사실의 충격이 컸던 터라 저녁 식사는 하지 않았고, 앞으로의 미래에 대한 걱정이 멈추질 않았다. 그 직원이 했던 말이 단순 헛소리일 가능성도 있지만 오늘 아침에 거울에서 보았던 내 모습을 떠올리면 헛소리보단 진실에 더 가까울 것이다.

그러면 여기를 하루빨리 벗어나야 할 텐데…첫날밤 〈03〉이 얘기해 줬던 이곳에서 나갈 수 있는 세 가지 방법 중, 일단 확실한 건 임직원이 되어서 밖을 나갈 수 있는 확률이 매우 희박하다는 것이다.

처벌을 받는 것도 생각해 봤지만 무슨 일을 당할지 모르기 때문에 배제하고 나면 남은 방법은 사건, 사고가 발생해 탈출해야 한다는 것인데…외부로부터 기대하는 건 어림도 없을 거 같다. 생각해 보니 보통 큰 건물 같은 데는 평소에는 이용하지 않지만, 비상시에 탈출하는 탈출구가 있었고 한 번에 많은 인원을 이동시키기 위해서 출구를 여러 군데 나눠서 설계했던 것을 본 적이 있다.

이와 같은 이론을 내가 있는 이곳에 대입한다면 탈출구는 문밖이 아닌 내부 어딘 가에 있으리라 짐작된다.

문제는 그곳을 어떻게 찾느냐는 건데, 건물의 설계도에 대한 자료를 〈O3〉에 물어보면 알려줄 수도 있지 않을까? 약간의 희망을 품고 문밖에 있는 〈O3〉을 불러 세웠다.

"요즘에 진행 중인 프로젝트가 하나 있는데, 〈GoF〉의 기업 이미지를 전세계적으로 알리기 위해서 엄청난 복지와 더불어 첨단 기술이 집약된 회사를 홍보하려고 하는데 건물 설계도를 알 수 있을까?

"해당 건물에 대한 설계도는 임원급 이상만 알 수 있는 정보로 알려드릴 수 없습니다."

직접적으로 물어보면 알려주지 않을 거 같아 최대한 돌려서 얘기했건만, 어림도 없었다. 알려드릴 수 없다라…처벌에 대한 정보는 자신도 모른다고 했던 거 같은데, 미묘하게 대답이 달라진 것으로 보아선 〈O3〉은 분명 알고 있는 정보일 것이다.

말로서 안 된다면 물리적으로 알아내야 할 듯한데, 여기서 소란을 피웠다간 단순히 경고로만 끝나진 않을 거 같다. 더군다나 처음 이곳에 와서 나갈 곳을 찾아 둘러보던 중…입구 쪽에 다다랐을 때 〈O3〉이 들어왔던 기억을 떠올려보면, 〈CCTV〉가 입구 주변에 있을 거 같은 생각이 든다.

그러면 〈O3〉을 안쪽으로 유인해야 할 텐데, 입구를 기준으로 가장 먼 곳은…화장실이다. 유인은 그렇다 치고 〈O3〉으로부터 설계도에 대한 정보를 빼내야 하는데 방법이 없을까.

어릴 적부터 과학 기술 분야에 관심이 많아 관련 기사나 잡지들을 많이 읽었었는데, 조금이라도 현 상황에 대한 해결책의 실마리를 찾을 수 있지 않을까 싶어, 눈을 감고 머릿속에 있는 기억 창고를 뒤져 본다.

〈AI〉…〈인공지능〉…〈기억회로〉…〈저장장치〉…〈개발〉…〈관리〉…〈관리자 모드〉? 관리자 모드에 좀 더 집중해 보자, 기억을 더듬어 보자면…2099. 12. 13 모기업에서 인공지능 〈AI〉의 시스템 오류 발생 빈도를 줄이기 위해 스마트폰처럼 관리자모드를 추가하는 방법을 개발했다. 관리자모드로 전환하는 방법은 음성, 패턴, 시간설정 등 여러 가지를 내부적으로 테스트했으나 물리적인 버튼이 가장 적합하단 결론이 나오게 되었고 국가로부터 해당 방법에 대한 효율성을 공식적으로 입증해 대중화시켰다는 기사가 떠오른다. 일단 대중화가 됐다고 했었으니 분명 〈03〉에도 어딘가에 버튼이 있을 것이다.

그렇게 화장실로 불러내 버튼을 찾는 과정에서 물리적인 충돌이 있을 거라 예상되기 때문에, 사전에 의심받지 않게 〈03〉을 유심히 살펴보며 찾아야 할 듯하다. 탈출 계획을 세우다 보니 어느새 〈03〉이 들어와 취침 시간이 되었음을 알린다. 오늘은 시간이 늦었으니 이만 잠자리에 들기로 한다.

오전 8:00, 기상 시간보다 30분 일찍 눈이 떠졌다. 어제 저녁 식사를 못 해서 기운이 없을 줄 알았는데 배가 좀 고픈 것 빼고는 오히려 정신이 맑아졌다. 이로써 확실해진 건 〈BCB〉에 정확히 어떤 성분이 들어가 있는진 모르겠지만 섭취하는 사람을 감정 없이 일만 하는 로봇으로 만든다는 사실이다. 이렇게 되면 탈출하기 전까지 굶어야 한다는 건데 최대한 빨리 나가는 방법을 찾아야겠단 생각이 든다.

어느 과학잡지에서 인간이 아무것도 먹지 않고 살 수 있는 시간이 개인마다 다르지만, 평균적으로 일주일이라는 연구 결과를 본 기억이 떠오른다.

대략 세운 계획은 우선 〈03〉에 의심받지 않기 위해 최대한 평소와 같이 행동하며 주말이 되기 전까지 관리자 모드를 활성화할 수 있는 버튼을 찾는다. 그다음 가장 발각될 확률이 적은 화장실로 유인해 관리자 모드를 활성화하고 설계 도면을 빼돌린 뒤, 탈출구 위치를 확인한다. 혹시나 탈출구를 표시해 놓지 않았을까 싶어 주변을 둘러보았지만, 안타깝게도 특별한 점을 발견하지 못했다. 그렇다는 건 탈출구는 분명 벽 뒤에 숨겨져 있을 테고 그것을 열 수 있는 장치가 어딘가 있지 않을까? 사실 어디까지나 나의 추측일 뿐이고, 탈출할 확률은 내가 생각하는 것보다 훨씬 희박할 수도 있다.

하지만 자유를 포기하게 할 정도로 통제가 심한 이곳에서 이렇게까지 탈출이 절실한 이유는 〈GoF〉의 운영 시스템에 대한 문제도 있지만, 정말로 내가 원하는, 돈에 끌려다니는 것이 아닌 나로서 존재한다는 일을 찾고 싶어서이기도 하다.

나의 간절함이 하늘에 닿았던 것이었을까. 〈03〉의 약점인 관리자 버튼은 〈등잔 밑이 어둡다〉라는 속담처럼 의외로 빨리 찾았다. 사람으로 치면 목덜미인 경추 부분에 있었는데 그냥 봤을 땐 몰랐었지만 자세히 보니 다른 곳과는 미묘하게 색이 달랐었다. 나는 곧장 화장실로 가 〈03〉을 호출했다. 세면대에 물이 잘 안 내려간다고 거짓말한 뒤

〈03〉이 고개를 숙이자마자 곧장 버튼을 활성화했다.

관리자 모드가 실행이 된 건지 〈03〉이 그 자리에서 작동을 멈춘다. 설계도를 알아내기 위해 변기 뚜껑을 덮고 〈03〉을 그 위에 앉혔다. 작동만 멈춘 줄 알았으나 전면 상체를 보니 10인치 정도 되는 스크린이 생겼고 대기 화면이 보인다. 시스템에 접속하려고 로그인 버튼을 누르는 순간 비밀번호를 입력하라는 창이 뜬다.

아…이건 생각 못 했는데…어떻게든 알아내야 한다. 희망적인 건 4자리 숫자를 입력해야 하는데…〈GoF〉의 창립년도를 입력해 보자.

〈비밀번호 1회 오류, 비상 알림 전까지 2회 남음〉 비상 알림이라니…3회를 틀리면 건물 전체에 알려진다는 건가. 하…남은 기회는 두 번. 〈GoF〉의 〈CEO〉최관기의 출생 연도를 입력해 본다.

〈비밀번호 2회 오류, 비상 알림 전까지 1회 남음〉 이제 기회는 한 번뿐이다. 이번에 틀리면 그 뒤에 발생하는 상황은…상상하기도 싫다. 도대체 뭘까? 의외로 지금보다 더 쉬운 숫자일 수도 있다. 모든 전자제품의 초기 비밀번호인 0000? 이건 아닌 거 같다. 6개월간 생활하면서 숫자와 관련된 모든 기억을 되짚어 본다.

〈GoF〉에 입사한 지 이틀째 되던날 〈CEO〉최관기가 〈SoH〉채널에 직접 접속해 우리들 앞에서 연설했었다. 그때 당시에 〈GoF〉의 이상적인 세계를 위해 〈99〉명만 모집한다고 했다.

〈99〉…달리 떠오르는 숫자가 없으니 맞다고 치고 나머지 두 자리는…〈SoH〉에 접속하면서 알게 된 내 닉네임 〈GoF-03〉 그리고 안드로이드 〈PSM-03〉…이미 엎질러진 물이다. 나는 떨리는 마음으로 9,

9, 0까지 입력한다. 이제 숫자 한 번으로 인해 내 인생이 결정된다고 해도 과언이 아니다. 과감하게 마지막 숫자 〈3〉을 누른다.

언제 그랬냐는 듯 로그인되며 바탕화면으로 전환된다. 극도로 긴장했다가 안도의 한숨을 내쉬며 나도 모르게 다리가 풀려 주저앉았다. 바탕화면에는 〈Good of Life〉라는 폴더가 하나 있었고 폴더를 열어보니 기업에 대해 그동안 몰랐던 충격적인 사실들이 기록된 파일들이 나를 망연자실하게 만들기 위해 자리 잡고 있었다.

〈99〉라는 숫자는 이상적인 세계가 아니라 영원한 통치를 의미하는 것이었고 그동안 끼니를 때우기 위해 섭취했던 〈BCB〉는 정말로 감정을 무뎌지게 하고 수동적으로 만드는 성분이 들어있었다.

이렇게까지 직원들을 통제하고 로봇화시키려는 이유가 뭘까? 단순히 회사의 이익을 위해서? 외부에서 보는 〈신의 직장〉이라는 이미지를 유지하기 위해서? 뭔가 더 꿍꿍이가 있을 것만 같다.

좀 더 폴더를 뒤져보니 그토록 애타게 찾았던 설계도가 보인다. 파일을 확인해 보니 탈출구 위치는 화장실 세면대를 정면으로 서서 바라보는 기준에서 오른쪽으로 고개를 돌렸을 때 보이는 벽면에 있었다. 서둘러 탈출하기 위해 파일을 닫는 순간, 〈GoF-03〉이라는 폴더가 눈에 들어온다. 폴더를 클릭하니 〈기록일지〉라는 파일이 있었는데 열어보니 6개월간 나에 대한 일거수일투족이 모두 기록되어 있었다.

심지어는 취침 시간인 오후 10시부터 오전 6시까지에도 감시를 했었다. 통제가 심하다곤 했지만, 이 정도일 줄은 몰랐다. 〈SoH〉에서 위험을 무릅쓰고 사람이 있을 곳이 아니라고 외치던 이름 모를 직원의 말은 모두 사실이었다니…그가 지금은 어떻게 됐을지 모르겠지만 여기가 미친 곳이라는 생각은 변함이 없었고 나는 더욱더 〈GoF〉를 벗어나야 할 이유가 생겼다.

설계도에 나온 위치에 다가서서 벽을 두드려보니 뒤에 공간이 있는 것처럼 텅 빈 소리가 울려 퍼진다. 조금만 힘을 가하면 벽을 부숴서 나갈 수 있지 않을까 싶어 주변에 있는 물건들로 어떻게든 충격을 가해보지만, 미동도 하지 않는다…여기까지인가.

포기하려고 바닥에 주저앉은 그때, 방안에서 갑자기 사이렌이 울리기 시작했다. 아무래도 벽의 충격을 감지한 것 같다. 이제 시간이 정말 얼마 남지 않았다…〈03〉에 문을 열 수 있는 열쇠가 있지 않을까 열심히 살펴보던 중 손이 유독 눈에 들어왔다.

혹시, 지문인식은 아니더라도 이걸로 열 수 있지 않을까? 마지막 희망을 품고 힘겹게 〈03〉을 벽 쪽으로 옮긴 나는 손바닥을 벽 가운데로 위치시켰다. 미세한 기계음이 울리며 절대 열리지 않을 것만 같았던 벽이 홍해의 기적처럼 좌우로 열린다.

몸의 절반 정도 되는 작은 크기의 구멍을 겨우 통과하니 엘리베이터처럼 생긴 또 하나의 문이 보인다. 문 오른쪽에는 내려가는 화살표 모양의 버튼만 있었고 버튼을 누르자 문이 열린다. 드디어 바깥세상을, 바깥 공기를 마실 수 있는 건가. 뭘 하든 여기보단 좋으리라.

일단 이곳을 나가면 가장 먼저 고향으로 내려가 부모님을 만나고 싶다. 지금껏 있었던 일들을 전부 얘기할 순 없겠지만…오늘따라 엄마가 해줬던 된장찌개가 생각난다.

그렇게 희망과 행복이 담긴 생각을 하던 중…엘리베이터 문은 빛을 삼키며 서서히 닫힌다. 내가 있었던 곳이 건물의 지하에 있었던 건지 엘리베이터가 계속해서 위로 올라간다. 올라가면서 바깥 풍경을 보고 싶었지만, 사방이 벽으로 막혀 있었던 탓에 곧 펼쳐질 풍경을 잠시나마 상상해 본다. 이토록 경계가 삼엄했으니 〈GoF〉의 위치는 적어도 수도권이 아닌 지방의 어느 외딴 산속에 있으리라. 숲이 우거져 있고 일반인들이 쉽게 드나들 수 없는 그런 곳.

그토록 기다리고 기다렸던 문이 열렸다.

해가 중천에 뜬 건지 햇빛이 문틈 사이를 비집고 마중을 나온다.

나는 인류 최초로 달을 밟은 〈닐 암스트롱〉처럼 엘리베이터에 고정하고 있던 두 발 중 한발을 바깥세상으로부터 내디딘다.

눈앞에 펼쳐진 풍경은 내가 상상했던 것과는 완전히 달랐다.

주변을 둘러보니 여기가 섬이었던 건지 사방이 바다로 둘러싸여 있고 끝이 없는 지평선이 나를 마주한다.

베스트셀러

발행 2024년 5월 10일

지은이 박시현, 초원, 김세연, 김재관, 김진용

라이팅리더 조주헌

디자인 윤소현

펴낸이 정원우

펴낸곳 글ego

출판등록 2019.06.21 (제2019-67호)

주소 서울시 강남구 강남대로 118길 24 3층

이메일 writing4ego@gmail.com

홈페이지 http://egowriting.com

인스타그램 @egowriting

ISBN 979-11-6666-482-3